日本人のための議論と対話の教科書

「ベタ正義感」より「メタ正義感」で立ち向かえ

倉本圭造

ワニブックス
|PLUS|新書

はじめに

「議論という名の罵り合い」があふれる時代

「私だけかね…？　まだ勝てると思ってるのは…」

このセリフは、漫画『スラムダンク』の終盤、強豪の山王工業高校に圧倒的な実力差を見せつけられて大きく点差が開いたシーンで、主人公たち湘北高校バスケ部の顧問、安西先生が口にするセリフです。

最近の「日本国」について、全般的に見て「何の問題もなくうまくいっている！」と感じている人は少ない時代になってしまいました。

先日帰省しましたが、コロナ禍で色々と不自由が続いていた時期だったこともあり、私の母親から、「最近の日本はほんとうにダメねえ」という論調が周囲のオバチャンたちの集まりでも定番化してしまっている、と聞きました。

しかし、この本を書いている私個人としては　ずっと前から「日本はこういう方向に進むべきだ」と提言し続けてきたことが、やっと実現できる状態に近づいてきていると、非常にポジティブな感覚を持っています。まさに冒頭の安西先生のセリフのように。

確かに色々とギクシャクしている部分があちこちにありますが、それも「古いあり方」と「新しい方向性」がぶつかり合って、単なる過去の惰性では処理できなくなってきたからこそ生じている、「産みの苦しみとしての混乱」だと感じているからです。

もちろん、「今のまま」でいいわけではありません。協力し合って「変えるべきところ」をシッカリと、共有された意思を持って変えていくことが必要です。

ツイッターなどのＳＮＳを見ていると、「党派的な罵り合い」は年々ヒートアップし続けているように見えます。ありとあらゆることが、「紋切り型のいつもの罵り合い」にすぐに還元され、強烈な言葉で「敵」を攻撃し合う言論に、「いいね」がたくさん付いて大量にシェアされ、そして結局何も変わらない。

読者のあなたがどういう立場の、どういう考え方の人であれ、こうした「党派的な罵り合いだけが先行して、何も問題解決が進まない」現象に対しての違和感を持っておられるのではないでしょうか。

「〝議論という名の罵り合い〟があふれるだけで、山積する問題は全然解決しないこの世の中で、双方がなぜそういう物言いをするかをくみ取って、ちゃんと問題解決に向かうためにはどうすればいいのか？　という本を書いてください」

これが、今回この本を書くきっかけになった、編集者からの依頼でした。

編集者のKさんは、長い間ある「いわゆる保守派・右派」の有名な雑誌の編集部で働いていたのですが、あまりに「この国がどうすれば良くなるか、以上に、敵対する派閥（いわゆるリベラル派・左派）をとにかく攻撃できればいい」という方向で突っ走る業界の風潮に限界を感じ、会社を辞めてフリーランスになった人です。

日本を見渡せば、問題は「右側」だけにあるのではありません。「いわゆる左派・リベラル派」の方でも、彼らが大事にする理念をどうすれば日本で理解を広げ、実際に実現していけるのか……よりも、「彼らの敵」である「今の日本政府や保守的な考え方を持つ人々」を攻撃できさえすればいい、という方向で突っ走る言論家や、そうした意見を掲載する媒体が多い。

結局「社会が良くなることよりも、格好良く〝敵を攻撃する〟言論」だけがあふれている現状には変わりがないことに気づいたそうです。長い間マスコミ業界の狂騒の中で働いてきたKさんの問題意識からくる、切実な依頼でした。

確かに、そうやって「右だとか左だとか」の紋切り型で整理できる話だけでなく、今の日本では多くの人が「うまくいっていないことの犯人探し」にだけ忙しい。

自民党の政治家が悪い、いや野党が悪い、官僚が悪い、メディアが悪い、老人が悪い、若者が悪い、氷河期世代が悪い、ゆとり世代が悪い、男が悪い、女が悪い、中国や韓国が悪い、欧米が悪い、新自由主義者が悪い、共産主義者が悪い……という罵り合いばかりが盛り上がる一方で、違う立場同士の事情を持ち寄って一歩ずつ問題を解決していくような方向の議論がなかなかできにくくなってしまっています。

しかも、こうした現象は、日本や特定の「業界」だけでなく、世界的に共通して起きています。例えば、2019年10月29日にシカゴで行われたイベントでの、アメリカ元大統領のオバマ氏の発言が話題になりました。とにかくSNSで非妥協的かつ「純粋」に「敵」を攻撃することだけに集中し、いかに「自分は意識が高い存在か」をアピールし合うような風潮を批判し、こう述べたのです。

「こんなやり方で世の中を変えることなどできない。そうやって気に入らないものに石を投げつけているだけなら、成功にはほど遠い」

全くその通りだと思います。

では、どうすればこの「罵り合い」を「意味のある問題解決」に転換できるのでしょうか？

果てしなく「分断」されていく時代に、両者の「共通性」を取り出して具体的な問題解決に向かう。逆説的なようですが、そのためには「今を生きる私たち」が「いかに違った立場・環境を生きているのか」を理解することが重要です。

日系イギリス人のノーベル文学賞作家、カズオ・イシグロは、東洋経済オンラインのインタビューに答えて、こんな話をしています。

「いわゆる『インテリ』の人は、世界中を飛び回っていても実はすごく『狭い世界』で生きていることを自覚する必要がある」

つまり、特権的なインテリ階級や世界を飛び回るエリートビジネスマンたちは、パリやロンドン、東京、ニューヨークといった大都市に住む「仲間」とだけ繋がっていて、それは非常に「多様性」に富んでいるように見えるかもしれないが、しかし結局そういう人は「自分と考え方が似ている同類」の間だけで生きていることに気づいていない。

社会の中にある「本当の多様さ」とは完全に切り離されて生きているのであり、そういう「特権階級の内輪の話」の延長だけで社会の全てを運営しようとすれば、時々考えもしなかった反発を受けるのは当然である。だからこそ、「世界中の恵まれた立場にいる同じ仲間とだけ付き合う〝横〟の旅行」ではなく、「同じ国で暮らしている、普段は考え方や生活の違いから接することの少ない人と出会う〝縦〟の旅行」こそが今重要なのではないか……という指摘でした。

「特権的なインテリ階級の閉じた価値観」が「リアルな同胞の考え方や感情」に無頓着すぎることが、昨今の欧米社会における政治的混乱に繋がったのだ、とする立場です。

これには深く共感しました。というのも、私は20年ほど前から同じような問題意識を常に持っており、この「縦の旅行」の中から「新しい共通性」を立ち上げて、分断を超える問題解決の基盤を再生する試みを続けてきたからです。

社会の断絶が不毛な議論を生み出す土壌になっている

どういう試みだったのか。それについて、少しだけ自己紹介をします。

私は大学卒業後、マッキンゼーというアメリカの外資系コンサルタント会社に入り、「当時最新鋭とされたグローバルな経営手法」を「遅れた日本企業」に導入する、という仕事をしていました。

しかし、「グローバルに流行っている経営手法」と「日本社会の色々な事情」とのギャップは非常に大きく、全体としてこの流れに全く反対というわけではないが、何か「大事なもの」が知らないうちに壊されていっているのではないか、という違和感を日々抱いていました。

特に、日米の名だたる経済学者が参加した共同研究プロジェクトに参加し、「日本の中小企業の数を減らしてチェーン化すれば経済が良くなる説」のような結論を出した研究に関わるに当たって、「本当にコレでいいのだろうか？」という違和感からメンタルを病んでしまいました。

外資系コンサルティング会社が唱導しているような「新しい経営の考え方」には、日本もぜひ取り入れるべき有効な美点は当然、ある。けれど、「社会全体の見方がこればかりになってしまう」ことの副作用は、今後10年～20年たった時に無視できないものになってしまうだろう……。当時の私はそう考えていました。

結果として当時の私の懸念は、それから20年近くたった今、現実のものとなりました。例えばアメリカにおける「トランプ元大統領の支持派とそれ以外の対立」といった形で、世界中で同じく顕在化する大問題となっています。洗練された手法を「合理的だから」と推し進めるリベラル・エリートと、古き良きものを重んじたい保守派の対立は深まるばかりです。

規模や度合いは違えども、日本国内でもそれは起きており、だからこそ不毛な罵り合いが起きているのです。

その「グローバル経済が社会を2つに引き裂いてしまう」大問題が、世界中で引き返せないところまで顕在化してきたこの20年、私は逆に、その「分断された2つの世界」を結び付けて新しい希望を生み出すにはどうすればいいか？　について、色々と実験と模索を続けるキャリアを歩んできました。

具体的には、まずは「都会の良い大学を出て良い会社に入って……」的な立場から見ていては分からない社会の現実を知らねば、と、様々なブラック企業や肉体労働現場、ときには駅前でたまたま勧誘されたカルト宗教団体に潜入したり、ホストクラブで働いてみたり……といったようなことをやっていました。

まさにカズオ・イシグロ氏の言う「縦の旅行」そのものです。

その後、「マッキンゼーのようなアメリカ型のコンサルティング」とは非常に対照的な存在に見えた、「純和風」のコンサルティング会社として有名な船井総合研究所を経て独立し、現在は日本の中小企業を対象としたコンサルティングの仕事をしています。同時に、電子メールによる「文通」を通じて個人の人生を考える、というコーチング的な仕事もしています。

そのクライアントは、上は60代から下は20代まで本当に幅広く、老若男女、都会に住む人も田舎に住む人も外国に住む人も、普通の勤め人の男女もいます。さらに政治家、学者さん、変わったところではアイドル音楽の作曲家さんや合気道の先生もいます。

彼らを通じて、この複雑な社会において、「単に自分とその周囲の立場」からだけでなく「色々な立場」から社会を見る……ということを続けてきました。

その私から見た今の日本の最大の問題は、次の一言に尽きます。

「みんな『自分の立場から見える世界観』でしか問題を見ておらず、『自分とは逆の立場』にいる人との対話関係が完全に途絶してしまっているので、ワアワアと責任をなすりつけ合う罵倒合戦だけが続いて疲弊しているのだ」

これは決定的な断絶のように思えます。

しかし、逆に言えば、「本当の対話」さえ実現できて、ちゃんと「現地現物の問題」を一個ずつ協力し合って解決していけば、今「どうしようもない」ように見えている困難でもスルスルと解きほぐして前に進むことが可能だ——ということでもあるのです。

細かい「立場の違い」を丁寧に紐解くことで、私たちが普段忘れがちな、「同じ国、社会を共有して生きているのだ」という「共通性」を掘り出してくることができる。

そしてその「探し出した共通性」をベースにして、具体的な問題解決を積み重ねていけば、ワアワアと罵り合いだけが続いていた時とは比べものにならないほど、そして自分たちでも驚くほどスムーズに現実が改善していくものなのです。

大事なのはいつでも、「犯人探しの罵り合い」で疲弊するのをやめて、「具体的な問題解決」に人々の注意を振り向けていくことなのです。

「対話」から大きな改善を引き出したクライアント企業の事例

しかし実際に、そんなことが可能なのでしょうか。

第一章でも詳しく説明しますが、それにはある成功体験があります。

私のクライアントのある企業は、ここ10年で社員の平均年収を150万円ほど引き上げることに成功しました。その企業は中小企業といっても、家族事業という感じではなく、「ある地方都市を代表する中堅企業」程度の規模を持っています。

あらゆる事業は、「利益＝売り上げ－コスト」とか、「売り上げ＝単価×顧客数×購入頻度」といった方程式から決して逃れられません。そのため、ある程度以上の規模の会社において、ここまでドラスティックに平均年収を引き上げるには、ちょっとした工夫とか「社員の一丸となった頑張り」とかだけでは実現不可能です。時代の変化に合わせて深く考えられたビジネスモデル全体の変化が必要になります。

特に従業員の平均年収を大幅に引き上げられるほどの「ビジネスモデル全体の転換」を行うには、何らかの「効率性の追求」が必要になってきます。一方で、そういう行為によって引き起こされる、顧客へのサービスの劣化や、必要な技能の継承が途切れるといった「マイナス面」も、当然出てきます。

その時、重要なのは「改革に抵抗してくる敵」は「そういう側面」を思い出させてくれているのだ、と気づくことです。その上で、「抵抗勢力の機能」をちゃんと尊重すれば、「進めていく改革」が細部まで配慮の行き届いたものになる。

これは「正義」をぼやかすというよりも、自分側の正義の、もう一方に存在する「相手側が持っている正義」というものの存在を認め、その上での解決策を考えていく、ということです。

結果としてそのクライアント企業では、ビジネスモデルの「大転換」と言えるほどの変化が起きていますが、そのプロセスでは「ぶっ壊す！」と叫ぶ改革派もいなかったし、

「ウチは昔からこうだったんだ黙ってろ！」みたいなドラマでよく見る「老害さん」もいなかった。むしろそうやって「敵と味方に分かれて全力で罵り合いをしている」時点で、「改革」は失敗なのだと私は考えています。

この話は本書の中で詳しく考察しますが、ここまでの話だけでも、「責任のなすり付け合いの罵倒合戦」を超えて、「立場を超えた具体的な対話」をしていくことが、これからの日本にとって大事なことなのだ……ということがイメージできるかと思います。

「片方だけの正義」を無理やり導入してもうまくいかない

「立場を超えた対話」による具体的な解決を模索するセンスを、私は「メタ正義感覚」と呼んでいます。

あなたが考える「正義」と、あなたとは社会の逆側に生きる人たちが持つ「正義」、それは対立することが多いでしょう。しかし、**どちらの正義も絶対化せず、「メタな視点（一段高い所から見つめる視点）」で、それぞれの正義を〝対等に〟扱った上で、具**

体的なレベルで解決していくことができれば、延々と「正義」同士をぶつけ合って何もできないよりもよほど素晴らしい世界が開けるでしょう。

過去30年間、日本の経済は不調でした。そして日本社会全体で見ても、自信を持って進める方向性を見失って右往左往してきたことは否めません。

しかしそれは、過去30年間の日本は「片方だけの正義」を無理やり導入して押し切ってしまうことをしなかった……というポジティブな側面も持ち合わせています。

結果として、社会が完全に分断され、「同じ国民」としての共有軸を失ってしまったアメリカのような国にはない可能性を持っているということでもあります。

例えばビル・ゲイツやウォーレン・バフェットのような上の世代の「アメリカの富豪」は、（実際に毎日食べているかどうかは別として）「好物はビッグマック」などと答えて「同じ国民としての絆」を確認することが「良いこと」だとされる倫理観を持っていました。しかし、今やアメリカの富豪はありとあらゆるライフスタイルの面で「普通のアメリカ国民」とは隔絶し切っており、むしろ「普通のアメリカ人の暮らしや習慣」を「時代遅れのライフスタイル」だとバカにするような傾向すらあります。

一方で日本では、かなりの富裕層でも貧困層でも地方でも都会でも、コンビニとラーメンと漫画を共有しており、既に幻想に近くなっているとはいえ「みんないっしょ感」の絆が一応は維持されている。

日本人の「みんないっしょ幻想」がギリギリの土俵際で完全な分裂を防いでくれたおかげで、私が意図的に長い時間をかけて職業的にやったほどのものでなくても、日本に生きる日本人であればそれぞれなりの「縦の旅行（by カズオ・イシグロ）」をして生きてきた体験が残っています。

「俺たち vs あいつら」と陣営分けをして「あいつら」を排除していく「アメリカ型の改革」を必死に拒否して、内輪で固まってグズグズと過ごしてきた時間があるからこそ、できることがある。

安易な妥協に陥らない議論のすすめ――「メタ正義感覚」

「メタ正義感覚」という聞き慣れない用語は難しげですが、「縦の旅行」的なセンスを持っていることが多い日本人なら、本来自然的に備えた「特技」であったはずのものです。

しかし、そういう「日本的な調和」なんかぶっ壊さないといけないのではないか？「もっと徹底的なアニマルスピリッツによるイノベーションが生み出すディスラプティブな変化なしには、このグローバルエコノミーにおけるメガコンペティション時代をサバイブできないのではないか？」という横文字の焦りゆえに、自分たち本来の強みを失っていた部分でもあります。

「メタ正義感覚」というのはグダグダで何もできない、何も変えられない社会になることではありません。あるいは「間を取って」式に安易に妥協するのでもない。

思い出してください。過去30年の平成時代に行ってきた、「〇〇をぶっ壊す！」「改革を断行せよ！」という掛け声ばかり勇ましく、現場的に一つ一つちゃんと変えていくことを軽視しすぎたために、「変えろ！」「変えるな！」的な全力の押し合いへし合いに時間とエネルギーを空費してきた事例の数々を。

しかし、立ち止まって考えてみてください。そもそもの最初から「抵抗勢力側の事情」もちゃんと吸い上げて細部の調整を重ねていれば、「変革」だってスルスルと進んだのではないでしょうか？

先述の「平均給与を10年で150万円上げることができたクライアント企業」で起こしたのは、ある意味で「口を開けば改革が必要だと言うが何もできない」タイプの企業よりもよほど大きな「改革」と「変化」ですが、それはわざわざ「抵抗勢力」を名指しで罵倒して、強引に押し切ろうとしたからできたことではありません。むしろ逆なのです。

本書を手に取った皆さんもうんざりしておられる通り、日本のSNSでは、「『日本なんてもうダメだ！』という理由を、いかに賢そうに述べられるか競争」のようなものが開催中です。しかしそういう競争に参加して「いいね！」をたくさんもらっても、それによって何か未来が開けてくるわけではありません。

読者の多くの方は、おそらく「自分の居場所」においてこの20年間、果たすべき役割を担い、その立場からの譲れないものを抱えて生きてこられたと思います。

そんなあなたに、この20年の間「縦の旅行」を繰り返し、色々な立場から問題解決を試行錯誤してきた私からの視点をお届けできれば、今までの罵り合いが嘘のような「問題解決」への道が開かれるものと信じています。そうすれば、今の日本の混乱も嘘のように、「意味のある変化」を積み重ねていける時代がやって来るでしょう。

冒頭で紹介した『スラムダンク』の安西先生のセリフのあとには、以下の非常に有名なセリフが続きます。

「あきらめたらそこで試合終了ですよ…？」

絶望的な状況に見えた「湘北vs山王工業」戦において、桜木選手のリバウンドといった「この部分なら自分たちが勝てる要素」に着目して、そこから徐々に戦況をひっくり返していったように。

色々と絶望的にも見える日本の将来を、一歩ずつの具体的な積み重ねによってひっくり返してやりましょう。

私たちならできますよ。

第二章　資本主義を乗りこなせ！……61

第三章　「コロナ議論」から「全てがイデオロギー対立に見える病気」を克服する　121

第四章　日本が歩む、再生の道

第一章

社員の年収を150万円上げる方法

「論破」よりも大事なのは、抵抗勢力を「理解する」こと

いわゆる「抵抗勢力」にも敬意を払うことで、より大きな変革をもたらすことができる――。「はじめに」でそう書きましたが、こう言うと、露骨にものすごく嫌そうな顔をする人たちがいます。

それは、自分たちが持っている「新しい理想のビジョン」に強力に社会を巻き込んでいって、一気に大きな変化を起こしたいタイプの人たちです。

具体的には、「経済・経営」面における改革を一気に推し進めていきたいビジネスエリートタイプの人たちと、「エコ・ジェンダー・差別などの人権問題」への対応を社会に迫る運動家タイプの人たちが典型例といえるでしょう。

「ビジネスエリートタイプ」と「社会運動家タイプ」という2つの類型はお互いに全然似ていない、全然違うタイプの人たちに見えます。しかし、こと「社会を変革するに当たって抵抗勢力側への敬意が大事だ」的なことを言われた時のアレルギー反応的に強い拒否感では「全く同じ」と言っていいような強烈な反応が返ってくることもしばしばで

す。

日常生活の中で、あるいはSNSでの議論などで、ビジネスエリートタイプの人からも、社会運動家タイプの人からも繰り出される、全く同じ口調の、「〝あんなやつら〟の言うことをいちいち聞いていたら、社会は変えられないじゃないか！」という強い反発。読者のあなたも身に覚えがあるかと思います。

しかし、誤解のないように言えば、私が「抵抗勢力へも一定の敬意が必要」と言うのは、お互いの意見を足して2で割ったナアナアな案でがまんしろということではありません。

むしろ、**最終的には「あなたの理想」をちゃんと押し切って本当に実現するためにこそ、むしろ初期段階でちゃんと「相手側への敬意」を払っておくことが大事**なのだ、ということなのです。

ここでは、「抵抗勢力にも敬意を払う」ことで、罵り合ったり、相手を「論破」するよりも、むしろ議論や変化を前に進める方法について、実際にある企業で成功した手法をご紹介します。そしてその考え方の基礎・視点の持ち方が、世の中のあらゆる議題を考えるに当たって「使える」ツールであることを説明していきます。

実際、「はじめに」で取り上げた通り、私のクライアント企業で、10年で150万円もの平均給与を上げられた事例は、結果として見ればものすごく「ドラスティックな大きい改革」が実現しています。平均給与というのは「皆でとにかくものすごく頑張る」ようなことで上げられるような数字ではないので、実際にそこにあるビジネスモデル的な構造は大きく転換している。

そうした「改革」の成功に至るまでには、改革推進派と抵抗勢力派の血みどろの争いがあって、改革派が勝利し、抵抗勢力派が一掃された――というストーリーを思い描く人も多いかと思います。

しかし実際の私やそのクライアントの経営者の感覚としては、「毎年、先手先手に当たり前な変化をしてきただけで、ふと10年前との給与の平均値を比較したら150万円も上がっていた」というのが正直なところです。

つまり、「こんな古くさい体制なんかぶっ壊してやる！　改革が必要なんだ！」と大騒ぎする改革派もいなかったし、「そんな夢みたいな話認められるかよ！　ウチは昔っからこうだったんだ！」といった、ドラマで定番の「改革を潰そうとする老害さん」もいなかった。

むしろ、事ここに至る前の状況が大事で、改革派と抵抗勢力が「二派に別れて全力の罵り合いを起こしている」状態になってしまった時点で、既に「改革」は失敗している、と言っても過言ではないのかもしれません。

「必要な丁寧さ」はその環境と文化によって違う

とはいえ、少しだけ緊張感が必要だった場面もありました。それは現場的には慕われているある高齢の役員さんが、ときに仕事上でパワハラ的な態度をとることについて「今後の当社ではそういうことは認められません」と、本人にキッパリと伝えた時でした。

しかしそれも、ドラマでよく見るような、「おまえのやり方は古いんだよ！」と社員たちの面前で、面と向かって罵倒するようなことは決してしませんでした。そうではなく、クライアントの経営者が毎年の人事面談で丁寧に話し、徐々に権限を縮小していくことで長年かけて勇退してもらったのです。

そのプロセスは、隣で見ていた私からするとちょっと「さすがに丁寧にやりすぎでじれったい」ようにも感じました。しかしクライアント経営者の「地方都市には地方都市のやり方があるのだ」という言葉には納得するものがありました。

もしこれが大都会にある会社なら、もう少しドラスティックに切り替えていっても問題はないと思います。つまり、「それぞれの会社の社会環境・文化」なりに適したスピード感があって、変に強引なことをせずに一歩一歩話を通していけば、別に大声で罵り合ったりする「ドラマ」がなくても「改革」は起こせるのです。

むしろ、「本当の改革」には「ドラマ」はいらない。それどころか、「それっぽいドラマがない」ことが本当の「ドラマティックな大変化」の必要条件なのだ、とすら言えるでしょう。

「改革派」から見れば、「そんな丁寧な進め方なんて、面倒くさくてやってられないよ！」と思うかもしれません。

しかし、明確な方針変更がしたくても、それが「派閥争い」の原因となってしまうとどこにも進めなくなってしまいます。結果として、現場的にも信望の厚い役員さんが、自分の手下の社員だけでなく担当顧客までゴッソリ引き連れて分離独立してしまうようなことは、特に地方の会社などではよくある話です。

もちろん大都会の会社の場合は、そうやって分離独立されても、むしろ「新方針に従ってくれる一部の社員」だけと一緒にゼロから新しい顧客を開拓していくことで、それが「転換」のキッカケになることもあります。しかしそういう方式は「いくらでも新規顧客を探せる大都市」だからできることで、パイが限られる地方都市では難しいことなのです。

大事なのは、「それぞれの会社・社会・文化」なりに適したスピード感があることを知る、ということです。

なぜ、私たちは社内であれ、社会であれ、何かを「改革」する際、前のめりになり、「守旧派、抵抗勢力はぶっ壊して進むべきだ」と思い込んでしまったのでしょうか。

「抵抗勢力をぶっ壊す」というのは、平成時代の代表的な長期政権として国民的人気も高かった小泉純一郎氏が首相時代に連発していた言葉です。

令和の時代から振り返ってみれば、何をどういう理由でどう変えるのか……についてあまり深く考えずに、「とにかく〝改革〟というものが必要なのだ」という謎の焦りだけが社会を覆っていたのが平成の時代でした。そのうちに、結果として特に明確に何かを「変える」こともできずにジリジリと衰退してきて、現在があります。

本書の狙いは、社会の中で何かを変えていくプロセスを、平成時代の「抵抗勢力をぶっ壊せと叫ぶ方式」よりも「あと一歩丁寧に」行うことで、「改革によって排除された存在」が恨みを溜め込んでありとあらゆる細部で邪魔をしてきて、どこにも進めなくなるような事態を招かずに済む、そういう方法を示すことにあります。

だから「抵抗する存在に敬意を払え」と言うと露骨に嫌な顔をするビジネスエリートタイプや社会活動家タイプの人には、「あなたたちはそのモードで平成の30年以上、『ぶっ壊す』『ぶっ壊す』と言い続けてきましたが、結局日本社会を大きく変えることはできませんでした。むしろ『あなたの敵』が恨みをため込んで、何が何でも邪魔してやろうと全力を尽くすような状況になっているじゃないですか」と言いたいのです。

本書のテーマは「ナアナアの中途半端な折衷案でごまかせ」という話ではありません。

もしあなたが「変えたい」と思っている方向性に立ちふさがる「敵＝抵抗勢力」がいて、相手と完全に押し合いへし合いの関係になってしまいそうになったとき。単純な「論破」に堕するのではなく、次に話す「メタ正義感覚」という考え方を試してください。

「自分たちの敵」勢力を罵る前に「メタ正義的」に考えてみる

「メタ」という言葉は、問題を「一段高い立場から俯瞰的に見直す」ような意味を付加するときに使う言葉です。

「メタ」は、日本語では「ベタ」という言葉と音の響きが似ているので、「メタとベタは反対の意味の言葉」というような理解が生まれて、独特の用法も生まれています。

つまり、「ベタ」に見れば、あなたにはあなたの「正義」があり、そして「自分以外の敵」は「正義がない許されざる悪」ということになります。

しかしその「敵」側の視点から「ベタ」に見れば、彼らには彼らの「正義」があり、そしてあなたは「彼らの正義を認めない悪そのもの」ということになってしまいます。

このお互いにとっての「ベタ」な世界観同士をぶつけ合っていても決して分かり合うことはできませんし、全力でお互いのやることを「邪魔してやる！」と言い合って紛糾してしまえば「改革」どころではありません。

そこで必要なのが「メタ」な視点を持つことです。

つまり、「あなたにはあなたのベタな正義」があり、「敵側には敵側のベタな正義」があるとき、それをまずは「均等にどちらも正しいもの」として扱う「メタ正義的な視点」から、一段高い所から見下ろすように整理することが重要です。

そういう「メタ正義感覚」を身に付けるためのワークシートが、図1の「メタ正義トライアングルの質問」です。

この図は、自分自身の「ベタ」な視点でも、敵の「ベタ」な視点でもなく、さらに一段高い視点（図中では「？」の位置）の視点に立って、俯瞰して状況を眺めてみることを目指すものです。質問に答え空欄を埋めながら、紛糾しそうな議論、今あなたが解決したいと思っている課題について、「それを邪魔しようとする敵」を想定し、各質問に

図1　メタ正義トライアングル質問表

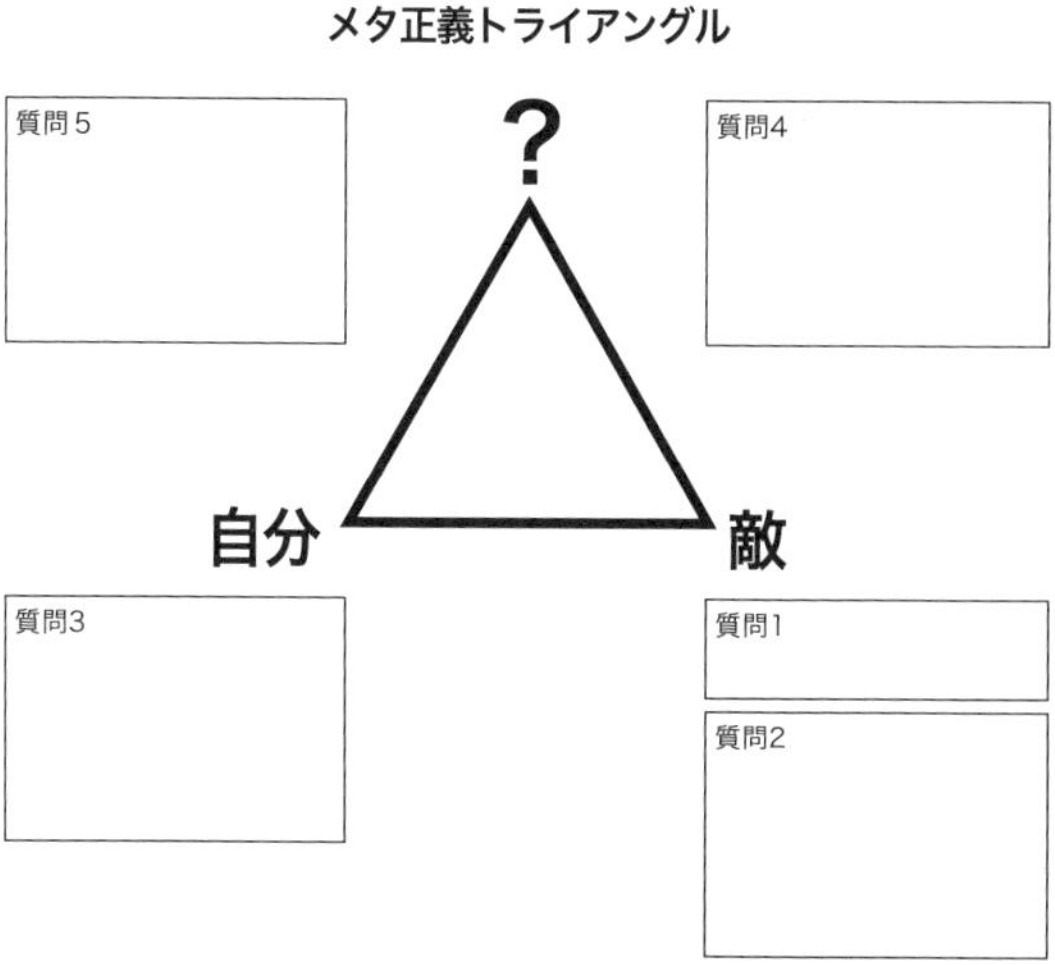

【質問1】 あなたが殺してやりたいほど憎んでいる敵は誰ですか？

【質問2】 その「敵」の「存在意義」(“彼らが言ってること”ではないことに注意）は何ですか？

【質問3】 それでも自分が敵を許せない理由は何ですか？

【質問4】 「敵」の「存在意義」をネコソギ消滅させるために。自分ができることは何ですか？

【質問5】 とりあえずその敵とぶつからずに“避ける方法”はありませんか？

Keizo Kuramoto

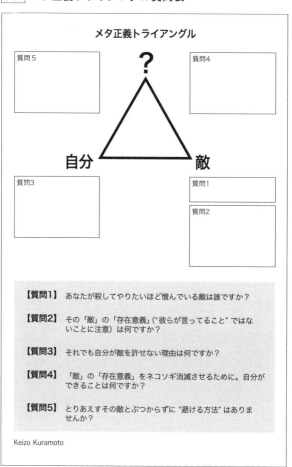

ついてどう答えるか、考えてみてください。

これは私の著書などではよく使っている図で、政治的な対立構図の解きほぐしや日常的な人間関係の解決にまで幅広く使うことができます。今回は、私のクライアント企業の例に沿って、「一つの会社」の中にある利害対立に応用して考えてみることにします。

例えばあなたが、「改革派」の経営者で、社内の抵抗勢力との戦いを背景に、各質問にこう答えたとします。

【改革派経営者の回答例】

・質問1の答え＝改革を拒む守旧派。

・質問2の答え＝彼らのおかげで、地元の顧客との繋がりが保たれている。現場での社員教育なども回っている面は少なくない。

・質問3の答え＝明らかに改革を受け入れた方が社員全体の福利厚生が良くなるのに、社員は改革に抵抗する。そのくせ、給料を上げろと突き上げてくる。生産性は上がっていないのに「こんなに働いているのに給料が上がらないのは社長がガメているんじゃないか」とまで言い出す。許し難い。

・質問4の答え＝改革することで給料が上がり、社員がやる気を持って働けることを示す。そうすれば「自分の居場所が奪われるかも」と改革に抵抗している社員も改革側に回ってくれる。

・質問5の答え＝（残念ながら「同じ会社」にいる相手では質問5のように完全に〝逃げる〟選択肢を選ぶことは難しいです。強いて言えば、紛糾するような課題は先送りにしてごまかしておくことがあてはまります）。

この会社では、「社員の給料を上げたいのは経営側の意向でもあるが、改革を受け入れることによって起きる変化が社員にどのような影響を与えるか分からないため、社員の一部が反発し、『抵抗勢力化』している」状況にあるようです。

平成期、日本は社会全体で「給料が上がらない」状況に見舞われました。日本はアメリカのように少々、経営状況が悪くなればすぐにクビを切れる社会と違って、法的・社会慣習的に解雇が難しい。その日本で、経営者側からすると「平均給与を上げる」というのは、社員側から考えるよりもかなり大変なことです。

さらには一度上げた給与を下げることもなかなか難しい制度になっているので、業績がいい時に上げた給与を、情勢が悪くなっても必死で維持しなくてはいけない。それが理由で会社ごと倒産してしまうこともよくあります。そのため、経営者側から見ると、業績が良い時期にボーナスは弾んでもいいけど、平均給与自体を上げることにはどうしても慎重になってしまいがちです。

例えばこういう「事情」がある時に、社員側が「経営者が給与を上げないのは社員を安くコキ使って自分だけがいい思いをしたいからだ」と「彼ら側のエゴ」の問題として非難するだけでは、片方側からだけの「ベタな正義」を振りかざしているにすぎません。経営者側としては「自分はこんなに社員のことを考えているのに！」（質問3の回答）と、腹も立つでしょう。

つまり、「経営者側のベタな正義」に対して「メタ正義的」に考えてみると、堂々と平均給与を上げるには、ただ単に好景気の結果、一時的に利益が上がっているというだけではダメで、「構造的に安定して儲かる体質への転換」という課題をクリアする必要があることが分かります。

「安定して儲かる体質への構造的転換」を図るには

　では、「経営者が給与を上げることに躊躇する理由」が明らかになり、「メタ正義的に考える」と、「給与を上げても問題ないくらい、構造的にもっと安定して利益が上がる体質に転換する」ことが必要になってくることが分かった上で、「構造的に安定して儲かる体質への転換」を果たすにはどうしたらいいのでしょうか？

　それについてさらに「メタ正義的」に対立する立場を超える発想で考えてみましょう。

　会社というのは、「利益＝売上－コスト」「売り上げ＝顧客数×購入頻度×単価」などの方程式から逃れられないので、「安定して利益が出る」ためには、「とにかく皆必死に頑張る」といったレベルの話を超えた構造的な転換が必要です。

　外部のコンサルタント的な存在や社内でも評論家タイプの人は、「こんなの簡単だよ、こうすればいいのにあいつらは分かってないな」と軽く考えてしまいがちです。しかしこの「方程式」の細部には「現場で実際に仕事をしている人たちの気持ち」が深く絡まり合っていて、バッサリと方針転換をしようとしても猛烈な抵抗にあうことが多い。

特によくあるのが、改革を望む経営者と「現場の良心さん」と私が呼んでいるような社員とのぶつかり合いです。「現場の良心さん」というのは、「従来のやり方でも会社はちゃんと回るという規範意識を共有するための中心になっているような社員」です。

こういう社員を「抵抗勢力の筆頭」と位置付けて、「時代が変わったのに考え方をアップデートできない古い社員たちの抵抗で、自分たちは何も新しいことができない！」と「ベタな正義のぶつけ合い」にしてしまうと、全力の押し合いへし合いに発展して全く前に進めなくなります。

そこで、「メタ正義トライアングルの質問４」について考える必要が出てきます。

例えば「現場側から新しい方針に抵抗する社員」の身になって考えてみれば、彼らが「慣れ親しんだ方法を変えたくない」とか、「過去を否定されたくないメンツにこだわっている」とか、そういうのは「全部一応確かにその通り」です。

だから、「抵抗勢力」にぶち当たったときに、あなた側の「ベタな正義」から見える

「相手側が悪である理由」が「全く間違っている」わけではありません。

しかし、**「相手側のベタな正義」にも「存在理由」というものがあって、だからこそ「相手のエゴやメンツ」は「存在を許されている」のだ**というふうに考えてみましょう。

そうすると、「相手側の正義がそこにある理由」を、自分たちなりに敬意を払って無理なくスルスルと変えていけば、「ぶっ壊してやる！」といった大騒ぎをする必要性はそもそもなくて、「気づいたら大きな変化はもう起きている」状況になる。

あまり「経営」について考えたことがない人には想像しづらいかもしれませんが、こういう話における「抵抗勢力さん」の言っていることは、押し切ってしまうと後々問題が起きるような隠れた合理性を持っていることが多いのです。

にもかかわらず、この「現場側の違和感」自体を単に「あいつらは変わりたくない頭の古い、時代に取り残されたダメなヤツなんだ」という形で押し切ろうとすると、そういう「現場派の社員」たちがだんだん結託してきて、彼らのボス格に当たる役員クラスの人などを担ぎ上げて「派閥争い」にまで発展してしまうことがよくあります。

そうなってしまうともう、もともと誰から見ても反対する理由がなかったような「小さな改革」ですら全力でメンツをかけた押し合いへし合いに発展してしまって、何も前に進まなくなりがちです。

そうなってしまうはるか手前の段階で、その「現場の良心さんのボス格」のような役員さんと先に直接話し合って抱き込み、相手側が培ってきた価値観の「機能」の部分は認めつつ、彼らの意見も取り入れながら具体的な細部を変えていくことに集中していけば、「新しい方針」が現場側から見ても「自分ごと」だと感じてもらえるオーナーシップを持ってもらえるようになります。

「現場の良心さん」を理解すれば「改革」は自然に起きる

そうなれば、いちいち次から次へと「こういう方向性の改革をしたい！」などと経営サイドから言う必要もなくなり、「方向性」さえ示しておけば、あとは現場サイドから勝手に「次はこういうことが重要だからやりたい」「こういう無駄があるから改善したい」という話が自然に出てくるようになってきます。

例えば「顧客数を増やす」にしても「購入頻度を上げる」にしても、「単価を上げる」にしても「コストを減らす」にしても、現場から遠い経営サイドやコンサルタントのような立場からは「簡単そうに見える」ようなことが、実際はものすごく大変だということがよくあるのです。

大変なだけならまだいいのですが、無理強いすると結果として「すごくあくどいこと」をやることになってしまいがちなのが大きな問題です。

例えば、「コストを下げる」にしても「そこを削るのは、商業倫理的にアウト」といったところばかり削ってしまったり、「顧客数を増やす」にしても強引すぎてものすごく悪印象になってしまったり、「単価を上げる」といってもコケ脅しのしょうもない高額商品が評判を落とす理由になってしまっては意味がありません。

また「購入頻度を増やす」にしても、既存顧客が「ちょっと関係ができたからって、やたらにしつこく売り込みに来るんじゃないよ！　いい加減にしてくれ」というような〝感じ悪い〟施策になってしまっては、余計に顧客に逃げられてしまいます。

特に昨今、「コンサル的な発想を持つ幹部」（あるいはコンサルタント）が、この方程式を軽く考えて、頭で考えた策を無理やり現場に押し付けた結果、「いかにもチグハグな施策がゴリ押しされる」ということはよくあります。

しかし、ここで「現場の良心さんの保守的な反応」を尊重することで、「本当の変化を起こすために大事なこと」が見えてきます。

「無理なく顧客数を増やしていく方法」について「現場の良心さん」を尊重した対話ができれば、「今は片手間にやっている新規顧客獲得のための専門人員を、ちゃんと育成して組織的にやることが答えなのだ」ということが見えてくるかもしれない。

「購入頻度を上げる」にしても、いやらしくない、そして顧客にとっても「自分のことをちゃんと考えてくれている！」というポジティブな驚きに繋がるようなアップセル（ついでの売り込み）の案を見いだせるかもしれません。

「単価を上げる」にしても、どこにでもある商品に無理やりコケ脅しの演出をして高額で売るような、よくあるダメな例ではなく、顧客側が「そういうところまで使い勝手などに配慮してくれるのなら、ある程度お金を払ってもいい」と思うようなニーズをしっかりと掘り起こして、作り込んだ商品を準備することもできるでしょう。

「コストを削る」のが実際には一番工夫がいることも多く、無理にやると本当に貧乏くさい細かい節約だったり、商業倫理的に問題な粗悪品になる理由になってしまったりします。が、ちゃんと前向きな投資をして、ものすごく手間がかかっていた作業を自動化したりする方式であるなら大きな意味があります。

「敵」が気づかせてくれる大きな価値

実際には「顧客数を増やす」、「購入頻度を上げる」といった、そういう「一つの数字」だけを無理やり上げるのではなく、

・無理なく顧客数を増やす方法がないか考える
・無理なく購入頻度を高めてもらう方法がないか考える
・無理なく単価を上げる方法がないか考える
・無理なくコストを下げる方法がないか考える

と、全部に「無理なく」が付くような質問を、常に双方向的な対話の中で繰り返していけば、徐々に形になってくる案が出てくるでしょう。そうした作業を次から次へとやっているうちに、会社の業績は上向き、気づいたら「そういえば平均給与を見てみれば10年前より150万円も高くなってたね」という状況になるのです。

「メタ正義トライアングルの質問4」で、「自分たち側のベタな正義から相手を断罪する答えにする」のではなく**「相手の存在意義について考える」**ことが大事なのだということが、ここまで書いた具体的な例から伝わったでしょうか。

とはいえ、直感的に「ムカッ」とすることは人間なのでよくあります！　私もそれは大変よく分かる。

しかし、だんだん「いちいちムカッとするのもバカバカしい、エネルギーの浪費だよな」と感じられるようになってきます。

むしろ「敵対勢力」がいたら、ムカつく前にメタ正義的に考えるのがクセになってきて、自然と「相手側の正義」を尊重した工夫の出し合いをするのが「自然なこと」になってくると、あらゆる「敵」の存在が、むしろ「自分では気づかない価値に気づかせてくれる存在」に変わってくる。

この「メタ正義感覚」は、会社を経営する時だけでなく、日常生活におけるあらゆる対人関係においても、社会全体で難しい立場がぶつかり合う問題の解決においても、価値観の多様化によってどの立場からも「無理やり押し切る」ができなくなっていく今後の人類社会において、「最も重要な生きる知恵」となるはずです。

「棲み分けゴール」でいい時も多くある

とはいえ、「質問4」にちゃんと向き合って本当に変わっていくには真剣にその対象と向き合うことが必要ですから、特に慣れないうちはそう簡単にあちこちで片手間にできることではありません。いちいち相手の事情に思いを致すよりも、ツーカーに分かり合える人たちの間だけでスルスルと物事を進めた方が効率的であることが多いのは言うまでもありません。

だからこそ、実は「質問4」には、絶対にいつも立ち向かわなくてはいけないわけではありません。「質問5」にあるような「棲み分けゴール」を選ぶだけでいいときもある。「質問3」で相手と自分との考え方の違いやそれぞれの存在意義を理解した上で、「お互いが棲み分けられる」ゴールがあるならその方が圧倒的に簡単だしスムーズに進みます。

例えば都会で、新しい考え方を持った者同士だけで立ち上げられるニュービジネスをやっているのであれば、あえて考え方が古くて行動の遅い人たちと一緒にやる必要はありません。

「そのスタイルで拡大できる最大レベル」まで拡大するなら、「棲み分けゴール」で十分です。

しかしビジネスがある程度以上に大きくなってきたら、社会の「逆側の立場の人」と交渉することが必要になることもあるでしょう。「伝統的な大会社」との協業が必要になることもあるだろうし、社会制度を変えるために政治の世界での交渉が必要になることもある。自分たちのビジネスが大きくなったなりの「社会的責任」を求められるようになれば、それに対応する必要も出てくるでしょう。そのときには、まさに「メタ正義トライアングルの質問４」に向き合わなければなりません。

「敵の存在価値を考える」ことの本質とは何か

実際に、ご自身の問題で「メタ正義トライアングル質問表」を埋めてみるとよく分かるはずですが、「質問４」に答えるのはなかなか難しかったのではないでしょうか。実際、この質問の中では「質問４」が最も重要です。

もし「質問５」のように「逃げる」ことができない敵がいるのなら、その時は覚悟を決めて「敵の存在価値」を考える必要があります。そしてその「社会の中にその敵が存在している理由」を、「自分たちなりに納得できる別のやり方」で解消できれば、その「敵」を完全に押し切ってしまうことができます。

それが「相手の存在理由ごと解消する」ような「メタ正義的解決」ということになります。

私たちはこの「質問４」に答えようとすると、つい「あなたが信じるベタな正義」から見て「相手が許されざる悪である理由」を書き込んでしまいがちです。「抵抗勢力のやつらは、単に自分の既得権益を守りたいとか、メンツを失いたくないとか、そういうしょうもないエゴゆえに反対しているんだろう」と感じてしまうからです。

そうした見方に「自分たち側のベタな正義」は反映されていますが、「相手側のベタな正義」は完全に否定しており、結果として「メタ正義」的な視点にはなっていません。

相手を「かわいそうな存在」に押し込めてしまい、「自分自身のベタな正義の純粋性」は一切譲らずに、「相手側の正義」を完全に否定している態度になっています。

しかし、そういう「こちら側のベタな正義から見た敵側が許せない理由」が全く的外れの「言いがかり」かというと、そういうわけでもありません。

あなたが書いた答えには「正しい部分」もあります。あなたが会社の「抵抗勢力」と感じているグループは確かに既得権益を失いたくなく、しょうもないメンツ的なことにこだわってもいることは事実でしょう。

しかし、大事なことは、会社組織、あるいは社会全体にとって何らかの「機能」がそこにあるからこそ、「抵抗勢力」の既得権とかメンツだとかは容認されているのだという理解をしてみることが、「メタ正義感覚」の入り口だということです。

「相手が現場で果たしている機能」に敬意を払えば、「相手の正義の存在意義」を切り崩す代替案を考えることができるので、最終的にスルスルと抵抗感なく押し切っていくことができます。

このあたりの巧妙なメカニズムが、「メタ正義感覚」の大事な「奥義」的な部分です。

これが本書の非常に大事なポイントです。

「メタ正義感覚」とは、ただ単に「対話が大事です」と言って、結局ナアナアの「2で割った妥協策」にする方法とは異なります。むしろ、もっと巧妙に、最終的に「押し切ってしまう」ためにこそ、「相手側の正義の存在意義」の部分を自分たちがちゃんと認識し、自分たちなりのやり方で代理解決する責任感を示す方法なのです。

水と油が乳化した「マヨネーズ」の状態を作れ

「なんだ簡単なことじゃないか。みんなの意見を聞いて決めましょう、ってことだろ？」

と思うかもしれませんが、「現場の工夫を吸い上げたい」と思っても、それをきちんと「経営的に意味がある方向」に振り向けるのは、それほど簡単なことではありません。お金の流れを分析し「やる意味のある」方向に吸い上げなければ、現場はただただ儲からないところで「過剰に頑張る」ことばかり増え、余計な苦労をすることにもなりかねません。そしてそれは「ダメな日本の会社のあるある話」でもあります。

結局「現場の話をよく聞いて学級会的なグダグダ感に陥ってしまう」よりも、問答無用のトップダウンの方がマシだ、ということも起こりがちです。

一方で、トップダウンの経営力だけが過剰になると、それはそれで問題があります。一部のエリートビジネスマンだけが全権を握って切り回せる会社や社会であれば、ダイナミックな変化を起こしやすくはなるかもしれませんが、一方で現場レベルの人たちは、ただただ言われた通りにやるだけのロボットとなり、そこから付加価値は生まれず、給料も安いままとなり、経済格差が広がる不安定な社会に繋がっていきかねません。実際、アメリカはそうした状況になっています。

では、メタ正義視点でお互いの「機能」に敬意を払った上で、さらに「会社を良い状態に」していくにはどうすればよいのでしょうか。

私は冷静に経営的な分析をする能力（経営力）と、現場での工夫を吸い上げる力（現場力）は会社を動かす両輪であり、そのバランスをとることが最も重要だと考えています。

私は「経営力と現場力のバランス」のことを、マヨネーズを作る作業に例えています。

水と油は、相容れないもの同士の対であるように、そのままでは混ざりません。混ぜてもすぐに分離してしまいます。しかし「乳化作用」を持つ成分を一緒に混ぜると、エマルションという状態になり、「水と油が混ざっている」状態で安定します。

聞き慣れない言葉と思うかもしれませんが、油と酢に含まれる水分が、卵に含まれる乳化作用を持つ成分と反応して混ぜ合わされているマヨネーズが、日常生活で最も馴染みのあるエマルションの例でしょう。

水のごとく自由に流れ、時にはきれいごとを言いながら会社の経営を取り仕切る力。そして油のごとく、粘り強く、時には密集・凝固しながら力を発揮する現場の力。会社の中でこうしたバランスが保たれることが大事ですが、これは社会にも言えることです。

現場で油のように密着して生きる力が社会の中から全く失われると、千変万化するグローバル資本主義経済に蹂躙されるだけになってしまいます。たまたま日当たりが良い時期はいいけれど、少しでも日が陰ってくると、誰もその場に責任感を持っていないのでほったらかしになり、どんどん酷い状況に陥っていく構造になってしまうのです。

世界最高のＩＴベンチャー企業群を生み出して、国全体ではグングン成長しているけれども、スラム街は本当に酷い状態になっているアメリカは「水」成分の強い国に例えられます。

一方で油のように密着する力だけが強すぎると、「現場主義が大事だ！」と吠えてみせるのはいいけれど、「水」のように流れ、変化する力を否定しがちです。こうした変化を完全に拒否していては、だんだん世界の流れから取り残されて、固着した油の中でお互いを傷つけ合う閉塞感あふれる社会になってしまうでしょう。まさに今の日本そのものです。

重要なのは、経済面において「水だけ」でも「油だけ」でもない「マヨネーズ」状態になっている部分を社会の中でちゃんと作っていくこと。私たちがこれから目指すべきことは、メタ正義感覚という「乳化剤」を作用させて、この「水と油」を溶け合わせておいしいマヨネーズにすることです。

日本全国津々浦々で、少なくとも皆が共有すべき意思決定を行うべき部分においては、「水」成分の良さも「油」成分の良さも両方うまく混ざって成立するように持っていくこと、「マヨネーズ」を作っていくことによって、「水派」が持ってくるグローバルな視点と、「油派」が持つ日本社会の基礎にある美点が溶け合って、世界のどこにもない新しい価値を生み出し始めるでしょう。

「メタ正義」の視点で、「良い経営」を考えよう

「いやいや、ちょっと待ってくれ。ウチの会社なんてみんな自分のことしか考えてないし、何か提案しても無視されるし、無理やりなノルマばかり与えられて死ぬほど働いているのに給料も安いし、そんな恵まれた世界のオママゴトみたいな話をされても困りますよ！」

当然、そう感じる人も、いらっしゃることでしょう。

「職場」は世界中、日本中、それぞれ雰囲気も経済状態も全く違います。良い会社は職場環境もいいし、理不尽なことも言われないし、給料も良いのが「当たり前」。一方、大変な状態の会社は職場環境も最悪、理不尽なことを毎日言われ、しかも給料も安いことが「当たり前」になってしまっている。

だから毎日同じ時間の電車に乗って通勤している隣の人と、生きている世界が「全然違う」ということは普通にあり得ます。

あまり良くない環境で働いている人から見れば、「10年で社員の年収を150万円上げられた会社の事例」など、モデルケースになんかなり得ない「嘘くさい理想論」に聞こえるでしょう。一方、良い状態にある会社にいる人は「働くってそもそもこういうことですよね」と、当然のことに感じているはずです。

問題は「良くない環境」にいる人が、無理して「そうだ！　メタ正義感覚を持って職場をまとめ直さなくては！」と思ってもなかなか難しい、ということです。

逆にありとあらゆる部署のエゴを一手に押し付けられて、一人苦労するだけで終わってしまうこともよくある。

そのため、同時に必要なのは、「マヨネーズ化」を社会に広げること、つまり**「個人の側からできるだけメタ正義的に振る舞おうと努力する」だけではなく、マクロに大きく見た視点から、「良い経営」が日本全体にちゃんと行き渡るように工夫すること**です。

そうすれば、あなたが「できるだけ党派的な罵り合いにならないようにメタ正義的に動こう」と思ったときに、それがちゃんと機能して報われる可能性が高まることになります。

第二章では、その「個人の側」からでなく「経済全体」を見て、いかに「対話可能な良い状態にある会社」を増やしていき、「メタ正義的な対話」が実際に効果を発揮できるように持っていけばいいのか、について考えます。

この章のまとめ

■組織や社会で「結果として大きな変化が起きた」と言えるような改革を行うためには、対立が起きる前の段階で「改革側」「抵抗勢力側」、あるいは「経営側」「現場側」の双方が大事にしている「正義」に配慮することが大事。

■そうした視点を持つことを「メタ正義感覚」と呼ぶ。

■自分から見た「敵」の存在にも意味があり、むしろ改革を行うに当たって「自分では気づかない、見落としてはいけない価値」を教えてくれる存在にもなり得る。

■「論破」を目的とせず「敬意」を払うことで、意味のある対話が可能になる。

■水と油の関係にある対立陣営をエマルション化（乳化）することで、マヨネーズを作るように、組織や社会において意味のある状態を作り出す。

第二章　資本主義を乗りこなせ！

岸田政権の「新しい資本主義」という曖昧なビジョンに「中身」を詰めていく

「経済」の話をする時に難しいのは、「経済」の話だと、一企業内部の話をしている時以上に簡単に「敵側のあいつらが全部悪い」という話にしてしまいやすいことです。

特に、「市場」を絶対的な神としてありとあらゆる抵抗勢力を斬り伏せてしまおうとしたり、逆に「市場」という仕組み自体を全て拒否してしまおうとしたりする**「二つの極論」**に簡単に吸い寄せられてしまうのが難しいところです。

第一章で述べたように、「メタ正義感覚」というのは、「対立する論点をナアナアに足して2で割った折衷案でごまかす」ということではありません。逆に最終的に「ふと気づいたら既に大きな改革は実現していた」を目指すために、「敵側の言っていること」でなく**「敵側の意見の存在意義」**と真剣に向き合う必要があるという考え方です。だからこそ、「二つの極論」に吸い寄せられがちな経済の議論でも、この「メタ正義感覚」が重要になります。

２０２１年10月に就任した岸田文雄首相は、「小泉政権時代以降の新自由主義（≒市場原理主義）を転換する」と表明し、日本は「新しい資本主義」の道を進むべきだと提唱しています。

その路線は、平成時代に吹き荒れた「○○をぶっ壊す！」型のビジョンとは違って曖昧で分かりづらいと批判されがちですし、実際岸田政権も特に具体的な「コレ」といった政策を打ち出せてはいないようです。

ただ、その「ど真ん中」の道をなんとか具体化しなくてはいけない状況にあるのは確かです。そして「二つの極論」に引っ張られず、曖昧で分かりづらい「大上段の理想論」の中身を詰めていくためには、何か「とっかかり」となるような共有イメージが必要です。

この「とっかかり」となる共有イメージを説明するにあたって、私は普段の言論活動において色々と工夫をしてきたのですが、実際に日本政府の政策決定に影響を与えている２人の論客の名前を出して、その間の「違い」を説明するのが一番伝わりやすいと感じています。本書でもその「２人の論客」氏にご登場いただきましょう。

それは、安倍・菅政権時代の経済対策会議の同じメンバーであった竹中平蔵氏とデービッド・アトキンソン氏です。

この二人は一緒くたに「市場を絶対神とし、市場原理のためなら全てを破壊する」側の人間だと一般的には思われていて、「反市場」的な日本のネット論壇やSNSでの議論では、どちらも諸悪の根源の如く嫌われています。しかし、**私や私のクライアントの中小企業経営者などの間で一致した意見として、この両者には「かなり大きな違い」があります。**

2人とも「全てを市場に任せて社会を破壊する悪」だと思われているが、実は両者には大きな違いがある……。**この「違い」を説明することで、「2つの極論」の間にある、曖昧だが大事な理想の「具体的な中身」を詰めていくことができるはずです。**

そして、岸田政権が掲げる「新しい資本主義」という漠然とした理想論の「中身を詰める」ために私が考えているのは、**「竹中平蔵路線ではなくデービッド・アトキンソン路線を選び、さらにそれをアトキンソン氏が考えているよりも100倍丁寧にやる」**という方向性です。

どういうことでしょうか？　具体的に見ていきましょう。

市場原理主義者（ネオリベ）の象徴としての「竹中平蔵」

竹中平蔵氏は、まさに日本における市場原理主義（いわゆる〝ネオリベ〟）の象徴的存在です。

「ネオリベ」とは、「ネオ・リベラリズム（新自由主義）」の略で、非常に単純化して言えば、過去20〜30年の間共産主義諸国の消滅とともに世界中を覆った「とにかく市場に全部任せればいい」型の経済運営の発想のことです。

もともと世界史的に見れば、共産主義が終わる１９８０年代末以降に、アメリカではレーガン大統領、イギリスではサッチャー首相、ドイツではシュレーダー首相といったリーダーが現れて、非常に「市場原理主義」的な改革を行った一連の流れを指します。

そして、日本における「ネオリベ路線」の代表的政権だった小泉政権時代に活躍したのが竹中平蔵氏です。小泉政権が終わってその直接的な影響力を失った以降も、徹底した「市場原理主義」的な主張を常に展開しては、いわゆる「左」の人からもいわゆる「右」の人からも批判され、過去20年間の日本経済の不調の〝戦犯〟のような扱いを受けています。実際の竹中平蔵氏本人がどうなのかはともあれ、日本の「政治」関係のネット論壇においては、この「偶像としての竹中平蔵」ほど嫌われている存在はいないと言っていいほどだと思います。

一方、デービッド・アトキンソン氏は、アメリカの金融会社ゴールドマン・サックスの役員を務めていたイギリス人で、今は小西美術工藝社という日本の伝統建築の修繕と補修をする会社の社長をしています。なんだか経歴の前半と後半が別世界すぎる感じがしますが、もともとはオックスフォード大学で日本学を専攻していて、裏千家の茶道をかなり本格的にやっているような人で、たまたま別荘のお隣さんだった小西美術工藝社の前社長と個人的に知り合って依頼されて今に至るそうです。

小西美術工藝社の経営を引き取ってからは、ドンブリ勘定だった経営を適正化して原資を作り、4割が非正規雇用だった職人を正社員化。技能継承のための若い人も雇い、中国産の漆を国産の漆に切り替えるなどの改革を行ったことで知られています。政界との結びつきも強く、先の政府の経済対策会議のメンバーに選ばれるほか、第二次安倍政権時代から続く日本の「インバウンド重視」政策には、彼の主張の影響がかなりあると言われています。

アトキンソン型が持つ、竹中平蔵型にないリアリティ

アトキンソン氏はいわゆる「アングロサクソン」のイギリス白人であり、アメリカ型グローバル資本主義を牛耳る伏魔殿のように一部の陰謀論者から思われているゴールドマン・サックス出身でもあるためか、竹中氏以上に「イメージが悪い」ところはありません。特に岸田政権になってからは、「新自由主義的経済」への批判の矛先が、竹中氏よりもアトキンソン氏に向くことが増えてきています。

ここで大事なのは、竹中平蔵氏本人が必ずしも「血も涙もないクズの政商」というわけではないように、デービッド・アトキンソン氏本人も「清廉潔白で無誤謬《ごびゅう》の政策提唱者」ではないことです。それを大前提としつつ、「彼らが実際には何を言っているのか」

「竹中路線とアトキンソン路線の違いは何か」を見ていきます。

アトキンソン氏は、経歴にもあるように地に足の着いた「日本の中小企業の経営者」経験もあるために、言っていることに竹中氏にはないリアリティがあります。これは私だけでなく、私のクライアントの中小企業経営者たちも感じているところです。

例えば、アトキンソン氏はこんなことを言っています。

・「GAFA（グーグル・アマゾン・フェイスブック・アップル）のようなアメリカのIT大企業は、世界的にも特殊な事例すぎる。そのため、『日本企業も全てああいう形で運営できなくては全部ダメだ』という議論は強引すぎる」

・「派遣社員をいつでも安い値段で使い捨てられる環境は、経営者を甘やかしすぎている。正社員でちゃんと雇えるようにするか、派遣を使うなら正社員以上の高給を保証するような構造にするべき」

・「最低賃金を徐々に上げていって、真面目に働く人がちゃんと暮らせる給料を保証する責任を経営者に持たせるべき」

これらを読むだけでも、アトキンソン氏の印象は変わるのではないでしょうか。

アトキンソン氏はＳＮＳや一部論壇では「中小企業をつぶして、大企業を利する政策ばかり進めようとしている」と批判されていますが、実際にはそこまで雑な話はしていません。

また、「とにかく規制を撤廃して徹底的に競争させればいいのだ」という原理主義化した竹中平蔵型市場主義とも、随分違うことを言っています。

彼がいた「ゴールドマン・サックス」は、私が大卒で入った「マッキンゼー」と並んで代表的な「アメリカ型強欲グローバル資本主義の権化」のように世界中で思われています。そのため、私が書いた文章も「著者の経歴にマッキンゼーと書いてあって、その瞬間読むのをやめようと思った」とか、「それでも我慢して読んだらなかなか良い文章だった」などという感想をもらうことが結構頻繁にあります。

しかしそういう「アメリカ型資本主義の最前線」を身をもって知っているからこそ、その後「現場的なキャリア」を踏むことで「どちらかを全否定する」わけではないリアルな議論ができる面もあります。つまり、第一章で述べた「メタ正義視点」で、日本の経済の利点と問題点を腑分けすることができるのです。アトキンソン氏には、竹中氏にはないそうした素地が備わっているといえるでしょう。そして、その素地が大変重要なのです。

つまり、竹中氏とアトキンソン氏という、一緒くたに「血も涙もない市場原理主義」だと思われている二人の違いに着目すれば、「血も涙もない市場主義」と「血の通った市場主義」の間にある**微妙な、しかし大事な違い**を理解する助けになるのです。

竹中型「市場での叩き合い」がもたらした「底辺への競争」

では「竹中平蔵路線」と「デービッド・アトキンソン路線」の最大の違いは何か。それは、「市場原理主義が自己目的化」しているか否か、という点です。

ここ20年、とにかく「競争が足りていないから競争して叩き合いをさせさえすればうまくいくのだ」という「宗教の教義」のようなものが世界中でまかり通り、ありとあらゆる規制を撤廃し、もっと徹底的に競争させること自体が「善」であるというような議論が、人類社会全体を席巻していました。

つまり、「結果」として経済がうまくいくことを目指しているのではなく、「何らかの規制などに守られて競争が抑制されていること自体が原理主義的に悪」だと考えられていました。とにかく徹底的に市場で叩き合いをさせさえすれば経済が上向くのだという「神話」こそが、「血も涙もない市場原理主義（ネオリベ）」を突き動かしていたと言えるでしょう。

その波は日本にもやって来ました。「偶像」としての竹中氏は、まさにそういう「血も涙もない市場主義」の代表的人物だと思われてきましたし、本人もその役割を心得たような発言を繰り返してきた側面があります。

「日本の民間企業には競争が足りない」「雇用を流動化させ、市場原理を徹底すれば、ダメな企業は自然に淘汰される」「労働者も生産性が低い。これは競争原理がうまく働いていないからだ」……これらが竹中氏の発言だとしても違和感はないでしょう。しかしその結果、日本経済はどうなったでしょうか。

例えば運送業などの「下請け構造」的に産業を支えている分野で徹底的に競争させた結果として、末端の労働者が果てしなく買い叩かれ、どんどん過大な要求を押し付けられ、酷い労働環境と慢性的な低賃金が定着してしまっている。そんな風景が日本中に蔓延しています。

「理論的」には、競争が激しくなることで、業界全体の主体的な工夫が持ち寄られ、バックオフィス分野などの効率化・IT化などが進み、価格は低下するけれども労働者の賃金は下がらず、新しい技術のバックアップなどでむしろ労働環境も改善するはずでした。目指しているのはそういう「改革」だったのだとは思います。

しかし、こういうものは上方への流れに乗ればどんどん良くなりますが、逆にいわゆる下方への流れになってしまえば、果てしなく「底辺への競争」になってしまいます。

日本の場合は後者になりがちであり、日本経済のあちこちにおいて「ネオリベ市場原理主義」の暴走が、何の工夫もなく、ただ単に下請け相手を買い叩いた結果、その下請け会社がさらにその労働者を買い叩く……といった「底辺への競争」を誘発してしまいました。これは我々の体感としても、そして過去20年間、先進国内では一人負け状態であった日本の実質平均賃金といった数字によっても、納得できるものであるはずです。

そこで大事なのは「変化対応する力」が「良い方向」に向かうように適切に監視をし

ていきながら、しかし「市場」的なメカニズムを全否定しないような「資本主義の乗りこなし方」を考えていくことです。

アトキンソンが主張する「中小企業再編論」とは

「とにかく競争して叩き合いをさせればいい」という竹中平蔵型の市場原理主義に対して、「アトキンソン路線」というのはどういう方向性なのでしょうか？

アトキンソン氏に対する批判で最も苛烈なものは「中小企業潰しを企図している」といったものです。確かにアトキンソン氏は、「ある種の中小企業は統廃合した方がいい」と言ってはいますが、丁寧に見ていくと「反アトキンソン派」が蛇蝎のごとく氏を嫌うような論調ではありません。

実際のアトキンソン氏の主張によると、日本の中小企業が「あまりにも小さいサイズ」に放置されているのは、人工的な政策の結果だ、といいます。

アトキンソン氏の著書、『日本企業の勝算―人材確保×生産性×企業成長』（東洋経済新報社）によれば、日本における「一社当たりの平均従業員数」は、1964年を境に〝劇的〟に減っています。つまり「企業のサイズ」が急激に小さくなっていることになる。

1964年に何があったかというと、OECD（経済協力開発機構）に加盟するに当たってその前年に「中小企業基本法」が制定され、「会社を大きくするよりも小さいままにしておいた方がトク」な制度をアレコレ導入し、それが今も残っている、というのがアトキンソン氏の主張です。

アトキンソン氏のこの本には、各国の経済分析から、それぞれの国の「企業規模の構成比率」と「労働生産性」はかなり比例関係があるという研究が紹介されています。

ざっくり言えば

・「中小企業を増やすと雇用数が増えるが、平均賃金が下がる」
・「中小企業を統合すると雇用数は減るかもしれないが、平均賃金を上げられる」

という効果がそれぞれあるため、高度成長期には「中小企業を増やす」政策にも意味があったものの、今のように少子高齢化で労働人口の激減が大問題である時には、「統合」していくことの意味の方が大きいということです。

普通にしていれば企業は大きく成長し、伸び悩む会社を統合して大きくなっていきます。アメリカなどは業績がイマイチの中小企業を野心的な会社がバンバン買収して大きくしていくので、規模が大きい会社が多くなり、結果として平均賃金も高くなる。

しかし文化的・制度的にそうならない国も少なくありません。アトキンソン氏の本では「企業規模が小さいまま放置されている」国の例として「スペイン（S）」「イタリア（I）」「韓国（K）」「イギリス（I）」「ニュージーランド（N）」「ギリシャ（G）」を合わせた「SINKING（沈みゆく国家）」という分類が提案されています。

財閥で有名な韓国も含まれるのに違和感があるかもしれませんが、韓国も限られた「財閥」以外の会社は、むしろ日本以上に小さいまま放置されていて（韓国ドラマでよくある「もうチキン屋をやるしかない」といった感じかもしれません）、最近は生産性向上の頭打ちが課題になってきているそうです。

アトキンソン氏はそれら「SINKING」国家にはそれぞれ「企業規模を小さく保

った方がトクになる」様々な制度がある、と分析しています。

この制度を徐々に減らしていくことで、「中小企業の統合を後押し」することが、日本人の給料を平均的に大きく上げていくために大事なことなのだ、というのが、アトキンソン氏の主張の骨子なのです。

「中堅企業」と「零細企業」は「同じ中小企業」ではない

このアトキンソン氏の見解については様々な批判があります。その代表的なものは、人口比で日本の中小企業の数がそれほど多いわけではない、というものです。

もともとアトキンソン氏自身が「竹中平蔵的ネオリベ路線」と一緒くたにされて批判されがちなこともあって、この「アトキンソンの分析は間違っている」という指摘も一部で強く出回っていますが、それは「中小」のくくりが大ざっぱすぎるからであって、方向性自体が間違っているわけではありません。

例えば「350人以下の企業」を中小企業の定義として見たとき、日本の中小企業の

図2　生産性と20人未満の企業に勤める人の割合

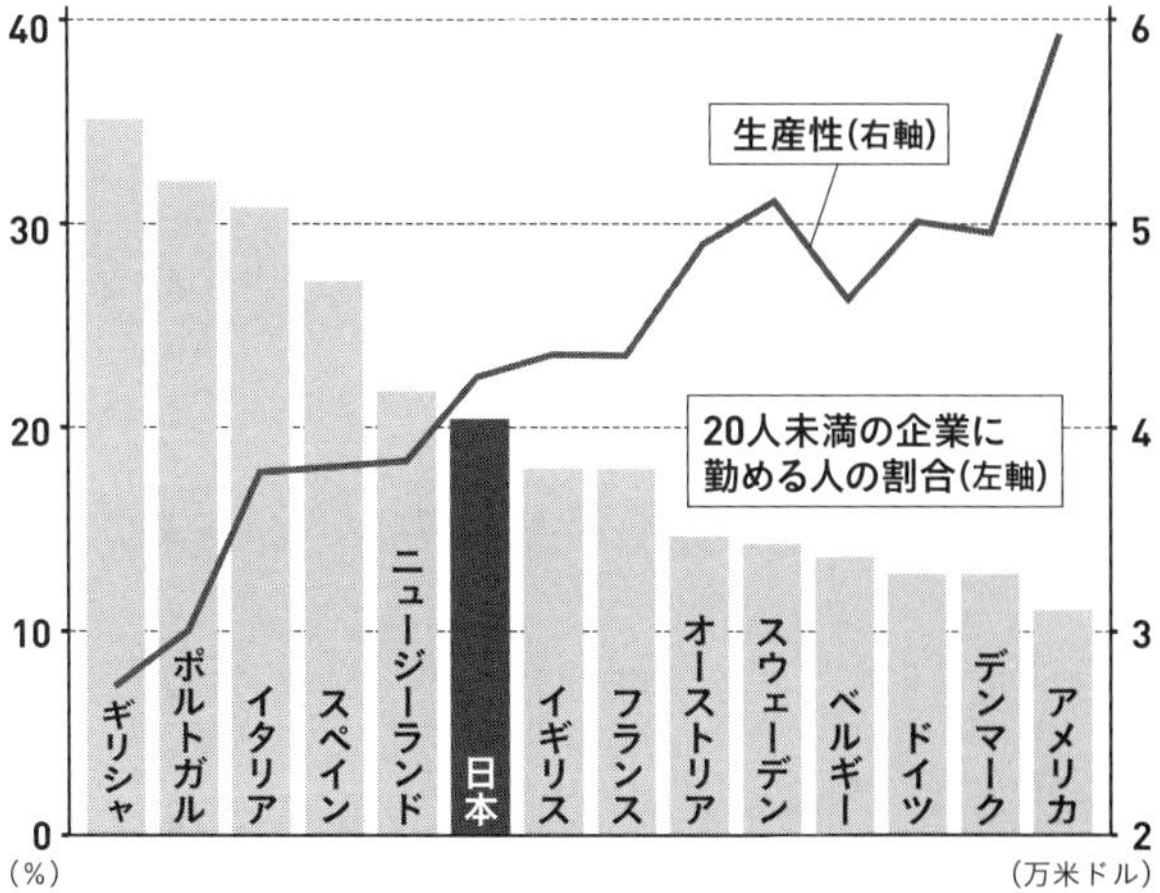

OECDの調査より

数はそれほど多いわけではありません。しかし、10人の零細企業と350人の中堅企業では、同じ中小企業といっても事情は全く異なります。

ここで大事なのは「零細企業」と「中堅企業」との間の違いの部分です。アトキンソン氏の分析の中で最も意味があると思うのは、図2のようなものです。「20人以下の企業で働く労働者の割合」とその国の労働生産性を並べた分析で、非常にキレイに比例関係になっています。

本の中では何気なく提示されているデータですが、単に出来合いの統計をそのまま見ただけでは分からない、適切に設計された良い分析の例だと思います。

「付いてこられないやつは淘汰されて当然」はむしろ逆

つまり、「中小企業を統合する」と言うと「付いていけないやつは死ね」と言わんばかりの「血も涙もない市場原理主義」政策に見えてしまい、それに対する批判が飛んできます。

しかし実際のアトキンソン氏の提案は、「『ブラック企業』を温存して、その下で働く人に死ぬ思いをさせ続けるのをやめて、ある程度拡大余地のある経営主体に統合していくことで、できるだけ多くの人に〝マトモな労働環境〟を用意できるようにする」という、非常に「共助」的な発想から出ているものだということが分かります。

つまり、**「会社を守って個人を虐げる」のをやめて「会社を無理に守るのをやめて個人を助ける」政策こそが、この「中小企業統合推進」政策**だということになるのです。

ここまでの説明を聞けば「アトキンソン氏の主張」が「とにかく規制を撤廃して競争

させればいいのだ」というような「とにかく競争して叩き合いをさせることが自己目的化した市場原理主義」とは随分違うことが理解できるかと思います。

しかし、日本ではなかなかその「違い」が理解されづらい状況にあります。

その理由として考えられることがあります。アトキンソン氏に対する「脊髄反射的な反対意見」を見ていると分かるのですが、ＳＮＳで政治談議をするような人は個人の生活の中ではそれなりに恵まれた環境にいることが多く、「日本の中小企業の現状」に触れたことがない人が多いのではないか、中小企業を論じていながら、その実態を知らないのではないかということです。

私は主に中小企業のクライアントを持つ経営コンサルタントが本業ですが、マッキンゼーというアメリカのコンサル会社で欧州の国際的大企業や日本政府や日本の大企業のクライアントを担当したことがあり、さらに今の仕事をする前に「あらゆる日本社会の側面を体験しなきゃ」ということで、いわゆる色々な「ブラック企業」に潜入して働いていたことは先述のとおりです。

だから「どちらの視点」も体感として分かるのですが、若い頃に実際に入社した「色色なブラック企業」の実体験から言うと、日本には結構な割合で、「かなりヤバい中小企業」が存在しています。

どう「ヤバい」か。

・「労働基準法ギリギリどころか普通に超えるほど、メチャクチャ長時間働かせて給料が手取り月15万円」

・「パワハラ・セクハラ・その他の圧力は当たり前」

・「社員のほとんどに昇給の見込みはないが、社長とその一族はそこそこの暮らしをしている」

実際、こうした会社は日本中にごろごろあります。しかもこういう会社はスラム街的な地域ではなく、都会のキレイなビルに入居していて、リクルート社の求人雑誌にも普通に載っていたりします。

しかしこういう会社群のことは、「経済について本を読んでネットで議論する」ような層はそもそも日常生活で触れることが少ないので見過ごしがちです。また、外国人労働者の問題が「日本の遅れた部分」として報じられることも多い昨今ですが、こうした

「やばいブラック系」の会社が温存されていることが、「ベトナム人技能実習生が酷い扱いを受けている」といった外国人労働者をめぐる悲劇を生んでいる面もあるでしょう。

今の日本は「高給を出せる働き口」をいかに作れるかが大事

つまり、「中小企業の再編が必要だ」というアトキンソン氏の発言に脊髄反射的に「日本の中小企業の貴重な技術が外資に買われるぞ！」と言って反対するような人たちは、こういう「中小企業のリアリティ」を体感したことがなく、ある種の「イデオロギー的思い込み」だけで反対しているところがあります。

また「再編なんてしたら、雇用が失われるんじゃないか？」という反発もあります。しかしそもそも少子高齢化で労働人口が激減する中、あまり移民も入れたくない国民性であるという状況の日本においては、心配する方向が間違っている。

そもそも、各種データを見ればどの統計でも日本の〝企業数〟は毎年かなり減り続けている一方、就業者数はむしろ伸びており、完全失業率に至っては世界がうらやむ３％

以下に張り付いている。そのことを考えると、「中小企業を統合すると雇用が」といった恐怖心は、杞憂にすぎないと言えます。

要するに、**今の日本は「高給を出せる働き口」をいかに作れるかが大事で、「最低賃金をちょっと上げたらすぐ潰れちゃいます」みたいな会社がいくらあってもダメだ、ということ**です。

アトキンソン氏が「アメリカの巨大ＩＴ企業のように日本の全ての会社が運営できなければダメだ、というのは極論すぎる」と指摘しているように、社会の八割以上を占める「普通の会社」において「マトモな給料を出せるようにする」ために重要なのは、世界を制覇する革新的なベンチャー企業を作るような超人的な能力ではありません。

そうではなく、「普通に必要な変化を取り込み続ける優秀さ」が社会の隅々まで普及している必要がある。そしてそういう「普通の優秀さ」が社会に満ちていれば、彼らを政府が政策的に過剰に守る必要もなくなって、「アメリカ型創造的破壊ベンチャー」を社会が許容できる余力も増してくる好循環も生まれるでしょう。

この「普通の優秀さ」というイメージを、あまり中小企業の現状を知らないインテリの人にイメージしやすい例に直すと、「スマホゲームで毎月更新される設定を読み解いて最適な配分を考えられるぐらいの優秀さ」と言えるでしょうか。

スマホゲームは、私も昔は少しバカにしていたのですが、今はむしろ「インターネットで情報共有をしながら社会の中で一緒にワイワイ工夫をしていく共同作業の全体像」をすごく面白いものだと感じています。そしてそのスマホゲームにおいて、運営側が作った「新しい設定」をちゃんと読み込んで理解し、最適な対応策を自力で考えられる人。それが「普通に優秀なリーダーシップ」のイメージです。日本全国津々浦々で抜けもれなく、そのレベルの「普通に優秀なリーダー」に力を与えてリードしてもらう必要がある。

スマホゲームについてＹｏｕＴｕｂｅで情報を得てそこで教えてもらった通りにやって楽しんでいるプレイヤーたちのように、「リーダー」がちゃんと導けば優秀さを発揮できる人は日本中にいるからです。

逆に言うと今はこの「普通の優秀さ」もない俺サマ経営者が、日本人社員の勤勉さ、真面目さを悪用する形で、パワハラ・セクハラ当たり前の環境で馬車馬のように長時間働かせたあげく手取り十数万円のような形で使い潰し、法人税もほとんど払わずに、社長とその一族だけが結構裕福な暮らしをしている……という例が日本中にあるということでもあります。

そこを徐々に「普通に優秀なリーダー」に置き換えていく、「知的で良心的なリーダーシップ」が日本中に作用するようにしていくことが必要なのだという考え方。これが「竹中平蔵型でなくアトキンソン型のビジョン」の具体的なイメージということになります。

「ゴミ」と感じるものの中から原石を見つける

ここまででも、いわゆる「血も涙もない市場原理主義的竹中路線」と「血の通った市場主義的アトキンソン路線」の違いがお分かりいただけたのではないでしょうか。

日本の議論、特に経済政策に関する議論は、どうしてもイデオロギー的になりがちです。「もっと市場原理主義で競争させろ」という意見の有害さばかりが強調されてしまい、対抗して「あらゆる市場的なものを敵視せよ」という、これはこれで現実離れした意見が持ち出されてしまいます。そしてそれが結果的に「竹中平蔵的市場原理主義」の暴走を「後押し」してしまっている――日本はそうした状態になっています。

つまり**アトキンソン氏の議論が「市場原理主義的なもの」とひとくくりにされ、一顧だにされないことによって、かえって「竹中的市場原理主義」を抑えられなくなる状況がある。**

ここで重要なのは、「イデオロギー的に、ある方向の意見を全てひとくくりにしてゴミ扱いする」のではなく、「一見、同じゴミの山の中にあるように見えるものの中から、輝けるダイヤの原石を探す」という行為です。

現状、いわゆる市場原理派と反市場派の応酬は、次ページ図3の上のようなやりとりになっています。相手の言い分を丸ごと否定し、自分の言い分は一つとして曲げないという状態では、「そこにあるもの」を全否定するか、全肯定するかしかなくなってしまいます。

もし、この図の「これはゴミじゃねえ」派が競り負ければ、後方にある山は全てゴミとして回収、処分されてしまうでしょう。そして、自分の大事なものを「ゴミ」として

図3 なぜ今の日本には「閉塞感」があるのか？
どうすればいいのか？

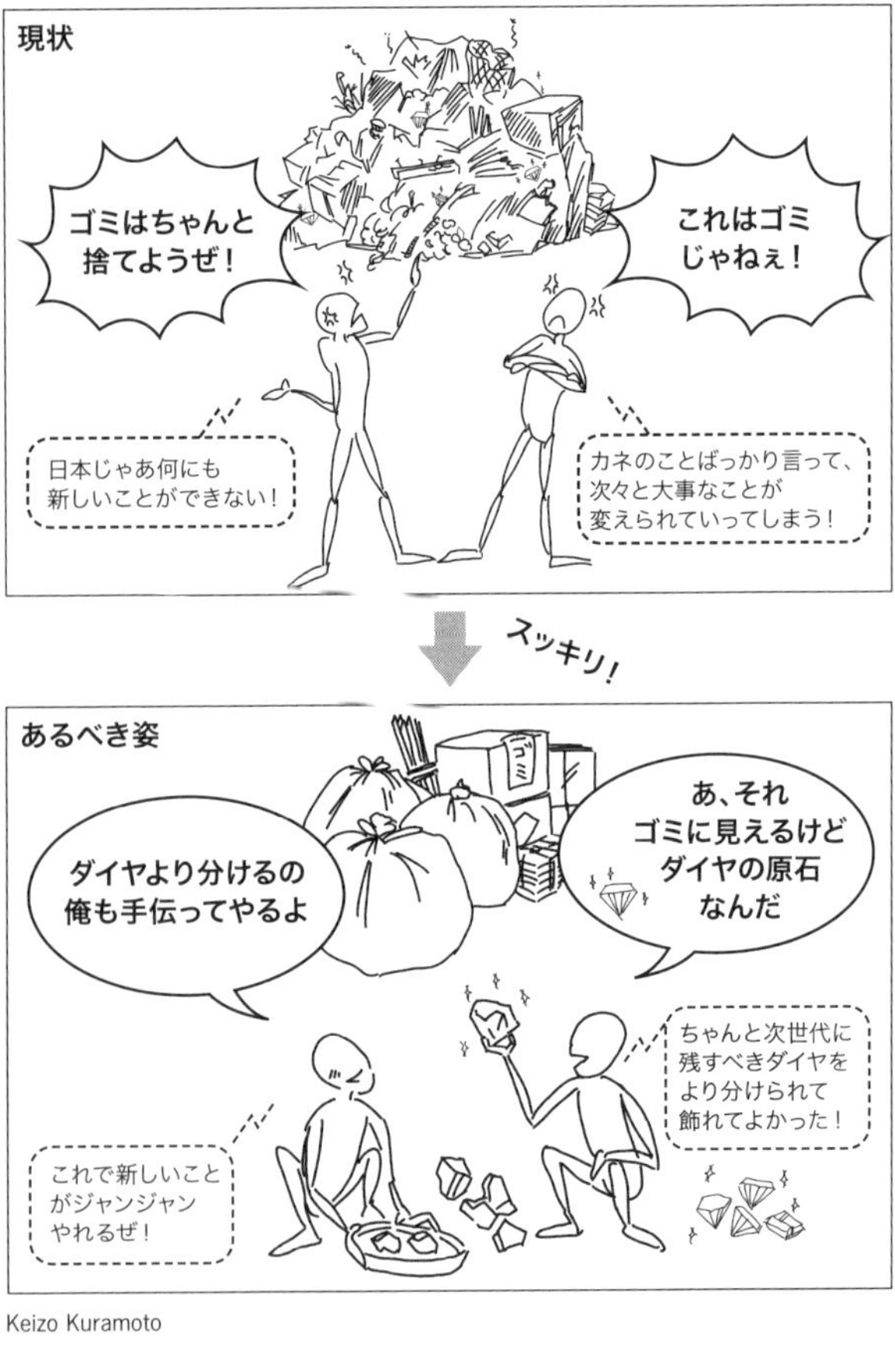

Keizo Kuramoto

処分された側は、そのことを恨みに思い続けることになり、他のあらゆる場面で、より強烈な極論を展開する「タタリ神」となりかねません。

しかし、一見ゴミの山に見えても、実は大事なものが埋蔵されているかもしれない。「イメージ」で「ゴミ」と決めつけるのではなく、いったい何が含まれているのか、丁寧に整理、腑分けすることで、「実は大事だったもの＝ダイヤの原石」を拾い上げることができます。

アトキンソン氏の論には、「一見、否定すべき市場原理主義的な意見」に見えていた中に、実は日本経済にとって有益な、しかも「反市場原理主義者」にとっても納得の意見が含まれていました。こうした「場合分け」をちゃんとやれるようになることが、日本全体で協調して大きく前に「一歩踏み出す」ためには絶対に重要です。

「中小企業再編」は静かに進んでいる

しかも、実は、ここまで述べてきたような「中小企業の再編」は、目立たない形で日

図4　M&A件数の推移

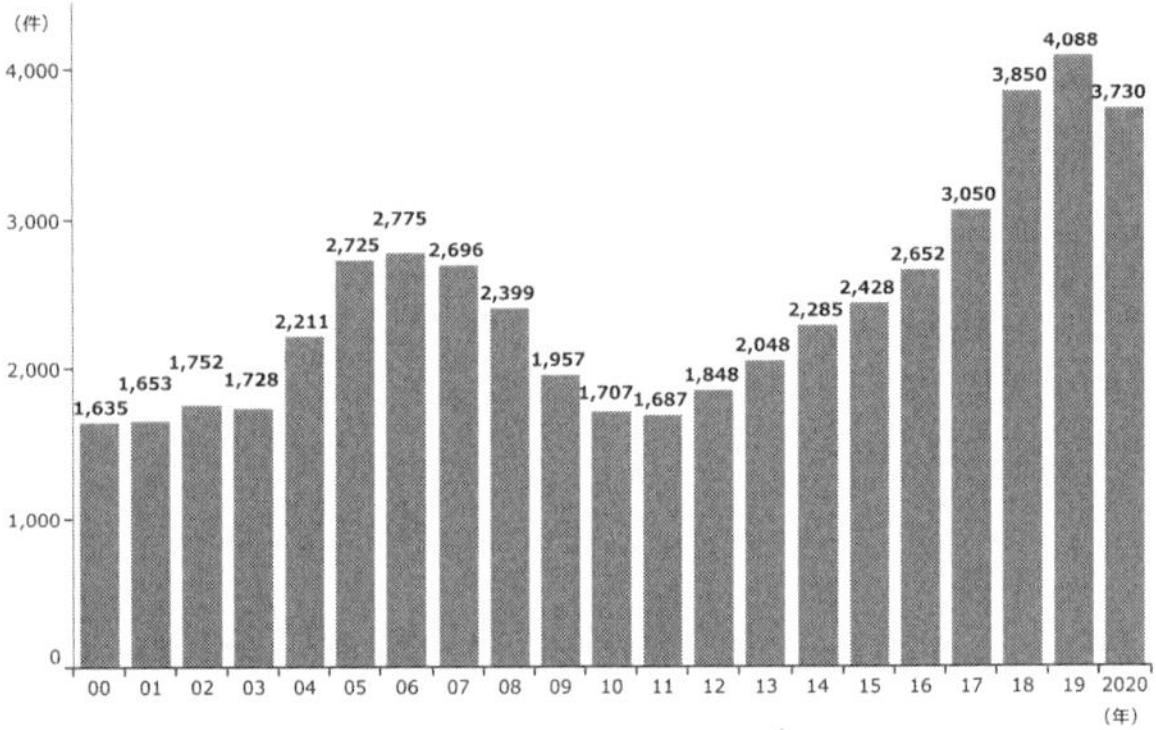

「中小企業白書2021」より

本中で既に起きています。

図４は中小企業白書２０２１年版にある日本のＭ＆Ａ（企業の買収・合併）件数の推移ですが、２０２０年はコロナで多少減少したものの、全体的なトレンドとしては明らかに増加してきています。

１７０万社程度の「企業数」に対して４０００件程度のＭ＆Ａというのは非常に少ないように見えますが、これは恐らく非常に大きな会社の例だけを集めたデータ（Ｍ＆Ａ仲介会社１社で年間千件単位の案件を扱うこともざらにあることから分かる）なので、トレンドとしての増減だけを見てください。

日本の企業の４分の３は10人以下の零細企

であり、雇用を吸収するにしても会社単位のM&Aでなく〝会社〟は潰してしまうことも多く、一方で企業の総数が順調に減っていることを考えると、このトレンドはM&Aの数字として表れる以上のスピードで進んでいると言っていいはずです。

何より、同じ中小企業白書において、M&A（企業の買収と合併）に非常にマイナスイメージを持っていることで有名だった日本の中小企業経営者が、世代交代とともに今後の施策としてM&Aを非常にポジティブに捉えるようになってきているというデータもあります。

だからアトキンソン氏が目指しているようなビジョンは、政策的な後押しがなくても徐々に進んできてはいる、ということになります。

「油の世界」への敬意があればもっと進むはず

しかし、こういう動きに心理的な拒否反応が日本で強いのは、やはり「改革派側」の論理だけで社会経済の全てが動くようになってしまうことへの不安感というものがあるからだと私は考えています。

「抵抗勢力側」の日本が持っている強さというのはやはりあって、それが一応まだ世界一といっていい自動車産業とか、世界シェアが100％近い産業機械とかスマホの中の小さな部品のような、日本の「異様に強い分野」を支えていたりもするのです。

「改革派側」の論理だけで社会がいいように動かされると、自分たちの美点のコアが失われてしまうのではないか？　という拒否感が一般的にある。

「実際にそういう効果があるか」は別問題として、「そうなってしまうのではないかという恐怖心」があるから強烈な反対が起きて少しずつしか進めなくなってしまっている。

そして、そういう恐怖心が生まれがちなのは、「M＆Aに関わるような市場の近くにいる人」には、人種的に「血も涙もない改革マインド」を骨の髄まで持っている人も多くて、「抵抗勢力側」のことを理解していないどころか、心底バカにしている人さえ、結構いる。これが難しい問題を生んでいるように思います。

ここで、第一章でも触れた「経営力と現場力のバランス」を保つための「水と油」のエマルション（乳化）、つまりマヨネーズを作るという例を思い出してください。もしここで、「メタ正義感覚」的な「お互いへの敬意」を持ち、「水と油をうまく混ぜる」ことができれば、マヨネーズ（価値のあるもの）を作り出すことができる、という話でした。

しかしここで難しいのは、「油の（変化を望まない、土着的な、抵抗勢力になりがち）世界の良さ」は実際に中に入って体験してみないと、単に「時代遅れのバカバカしい風習」であるかのように見えがちだということです。

インテリの日本人が想像できない「油の世界」の強み

私のクライアントの農家では、「ミカンの成長を0・1ミリ単位で測りながら、ハウス内の二酸化炭素濃度を調節する」というレベルのことをやっていて、実際に収穫量も多く、とにかくちょっとあり得ないほどおいしいミカンを作っています。

「そんな手法をどこで知るんですか？」と聞くと、とにかく津々浦々で相互の勉強会が開かれていて、そこでは惜しげもなく工夫をシェアし合って、研鑽《けんさん》しているといいます。

他にも、大卒が2割ぐらいしかいない中小製造業でありながら、業界における勉強会的な仕組みから、色々な工夫を縦横無尽に業界内でシェアし合い、スキルの底上げを続けているクライアント企業もあります。

こうした日本における現場的な「油の世界」には、インテリの個人主義者である「水の世界」の住人が想像もつかないような連携が生きています。ただ、そうした「密な」人間関係から抜けようとすると、自分たちの本当の強みが崩壊して会社全体が突然ダメになることもあります。

ある中小製造業のクライアントのライバル会社で、派手な言動でマスコミ受けも良くて注目されていた会社が突然倒産してしまった事例がありました。私のクライアントの経営者氏も「あんなかっこいいこと言ってたのに、どうしたんだろう」と不思議がっていたのですが、潰れた工場の製造機械を下取りに行ったら、一見して、その理由が分かったそうです。

「機械の導入の仕方が色々とチグハグ。こりゃ潰れるのも分かるな」

時に凝固するほど連携して、さまざまな工夫を積み上げ、磨いていく「油の世界の研鑽力」というのは、それぐらいの強さが潜在的にあるのです。

ベットリとまとわりつく関係が嫌だからといって自分だけは全然違う道を行こうと思っても、そうすると今度は自分たちの本来の強みがスカスカになってしまって、立ち行かなくなることも多いのです。

だからこそ、中小企業統合策が「資本の論理（水の世界）」の関係者のみの主導で行われることへの拒否感は、あながち空疎な思いすごしというわけでもない事情があるのです。

「マヨネーズを作れる市場メカニズム」に進化するためのカギ

ひと口に製造業といっても分野によって全然違うし、農業はさらにコメと野菜と果物でも違い、果物の中ですらミカンとイチゴで状況は全く違っています。

それを「トップダウン」のインテリの仕切りだけで全て統御するのはほとんど不可能で、逆に「油の世界の現場力」をいかに引き出せるかが重要です。

しかし日本における「油の世界」の住人は与えられた環境の中で最大限クオリティを

引き上げていく蓄積には世界一レベルのパワーを発揮しますが、そもそも商売がうまくないことも多いし、新しい考え方や仕組みやIT技術などに疎いことが多いものです。

この「油の世界の強み」を壊さないように、しかし「水の世界の良さ」をいかに浸透させていけるのか。今は「水と油の罵り合い」にかき消されてしまっている、その「本当の課題」にいかに集中していけるか。それが日本全体で「給料が良くて理不尽がない職場」を増やしていくために大事なことなのです。

「中小企業の統合策」を市場的なメカニズムで進めていくと、「水の世界の論理」だけで社会を動かしてしまうことになりがちです。「それでは、油側の美点を失ってしまうのではないだろうか」という恐怖感が出てきて前に進まなくなってしまう。

つまり、単に「水の世界の力」としての市場に全て身を任せるという話になると拒否感が出るが、「水と油の両方の力」を吸い出せるような「市場」にすれば、つまり「マヨネーズを作れる市場メカニズム」が動き始めれば、日本全体がそのパワーを十二分に発揮して生まれ変わることができる、というわけです。

アトキンソン氏の提唱するようなビジョンは放っておいても実現していきつつありま

すが、よりスムーズな転換をするには「あと一歩の文化的配慮」が必要な領域がここにはあるでしょう。

そしてこれは日本人的な心情＝「お気持ち」の部分でもあるので、ここの部分に関しては、イギリス人のアトキンソン氏にはそのアヤがよく分からなくても仕方がないかもしれません。

そこの部分を、日本社会の側がうまくサポートして、「彼の言っていること」ではなく「彼の提言の本意」の方を実現していけるようになると、日本経済は大きく変わり始めるはずです。

発酵食品を作るようなプロセスで吸収合併を進める

では、「アトキンソン氏的なビジョン」と日本社会との間の文化的なラストワンマイルの壁を乗り越えて、「マヨネーズを作れる市場の力」を呼び覚ますにはどうすればいいのでしょうか？

それは、私のクライアントの周囲ではかなり最近よく見かけるようになっているのですが、**「発酵食品」を作るようなプロセスで、「市場（水の力）」と「現場（油の力）」を混ぜ合わせながら統合を進める動き**です。

「現場の人間関係を引きちぎらない」ようにしながら、「マクロに見た合理性」を徐々に実現していく。

最近私のクライアント企業では、うまくいっている会社が「もう危ない会社」を吸収合併する話が増えています。だいたい、元の大きさの1割以下程度の規模の会社が紹介されて、自分の会社とうまく相乗効果を生めそうなら買収し、社長と実務レベルのリーダーを何人か送り込んで統合していく感じです。

売上高が数億円程度の会社だと、社長の奥さんが経理をやっていたりすることもあるぐらいなので、まずは本社側のマトモな総務の仕組みをガッと入れて、簡単に月次決算などができるようになるだけで「別世界」のような感じが出てくるようです。

大事なのは、「良い会社の規範意識」のようなものが崩れてしまわないように、発酵食品を作る時に雑菌が入らないよう管理しながら菌を増やしていくようなプロセスです。

こういうプロセスがちゃんとバックアップされていれば、「中小企業を統合して規模を大きくしていく」時に、「骨の髄まで市場原理主義なアメリカ型エリート」に全権を与えることで「現場型人材」の効力感を果てしなく奪っていったりする状況にならずに済みます。

「パッと聞いてパッと分かって即自分で行動する」タイプの人材以外、いわば「ウサギとカメのカメタイプ」の人の力も吸い上げられる「風土」を残したまま、マクロに見た合理性は徐々に普及させていくことができる。

こうすることによって、アメリカ型の弱肉強食社会には馴染めないタイプの「個人」を放置するのでなく、助け合いの中でその効力感を育てていって戦力化できる仕組みを崩壊させずに温存できるのです。

日米の強みも弱みも、両方フェアに見るやり方

「現場の強み」と「マクロに見たときの合理性」というのは両取りが難しく、過去20年

グズグズと変われない停滞状態にあった日本においては、「アメリカ的な知的エリートがバッサバッサと斬りまくる」社会へのあこがれを持つ人も多いでしょう。

実際、日本においては「盲目的な現場の力頼み」で「マクロに見たときの合理性」を誰も考えない結果、戦略的に無意味な細部のクオリティに過剰にこだわって爆死するバンザイ突撃があちこちで見られます。

左の図5は「アメリカ型」の良いところもダメなところもちゃんと理解した上で、「(今までの)日本型」の良いところもダメなところもちゃんと理解した上で、その「両者をうまくシナジーさせる」文化を自前でこれから作っていかなければならない、という思考を整理したものです。

このシナジーこそが、「マヨネーズを作る」循環だということになります。

アトキンソン路線を日本で具現化するための最後の配慮

ここまでの議論をまとめておきましょう。

図5

資本の論理と現場の論理を繋ぐ『ミドルマネジメント役』の行動パターンを変えられれば、社会の分断を回避し格差の少ない経済発展に繋がる可能性が開ける。

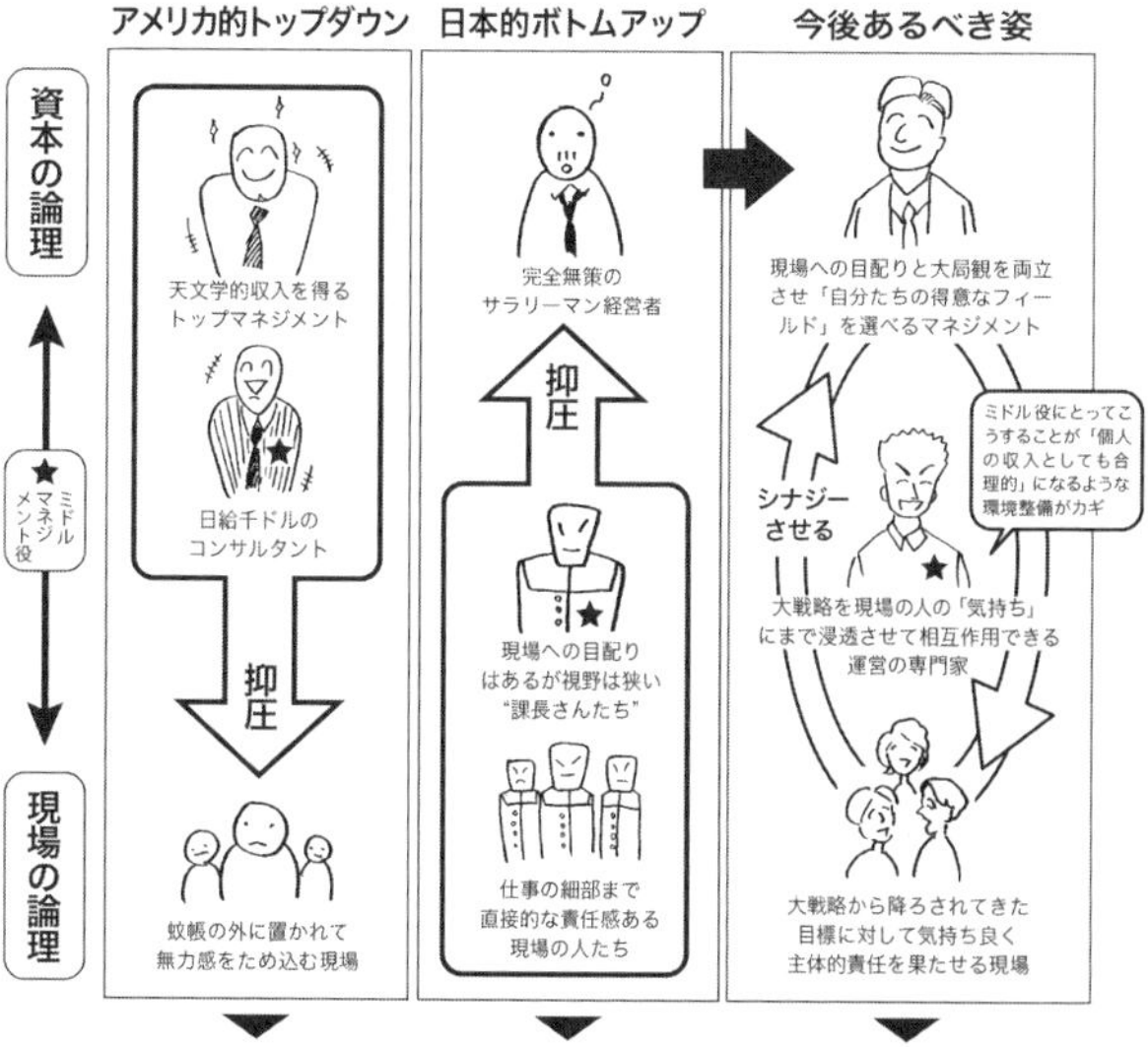

結果

明確な戦略が実行できて大きな成果に繋がることもあるが、地道な改善が必要な仕事は不得意。どちらにしろ蚊帳の外に置かれた現場レベルでスラム化が進行する

練り込まれた価値が意味のある市場ならいいが、大抵は戦略的に無意味な細部のクオリティにこだわりすぎて爆死するバンザイ突撃

経営・経済的合理性だけでなく、現在問題となっている社会的分断を根底から解決していくソリューション

「経済のあり方」の段階で分断が激化するマネジメントスタイルのままだと、事後的に「政治運動」でなんとかしようとしても「トランプ vs 反トランプ」的分断は止められない。現地現物で解決すべき。

Keizo Kuramoto

①「竹中平蔵路線」的に「市場原理主義が自己目的化」したような、果てしなく無意味な叩き合い、潰し合いが横行するような現在の状況は脱却したい。

②その「血も涙もないネオリベ」を脱却する時には、「市場を全否定した幻想」ではない「具体的な細部の議論ができる受け皿」が必要である。その候補として、「デービッド・アトキンソン氏」の提唱する中小企業再編策は、現場で関わっている感覚からも納得感がある。

③しかしその「実行」に当たっては、「細部に宿る神」を軽視してはいけない。特に、日本人が自分たちの社会を成り立たせている相互の義理の連鎖といった「気持ち」の問題とうまくシンクロすることで、「アトキンソン路線という構造」に「魂」を入れていくことが大事。

④そのためには、「水の世界と油の世界」を溶け合わせる「マヨネーズ」状態に日本全体を持っていけば、無意味な罵り合いだけがヒートアップして具体的な工夫が積み上げられない閉塞感を抜けられる。

⑤それこそが、岸田政権が提唱したものの曖昧で中身がないと批判されている「新しい資本主義」という理想論に、きちんと具体的な中身を詰めていく作業になる。
⑥「発酵食品を作っていく」ように、「良い文化」が崩壊しないようにしながらM&Aを進めていくようなプロセスは既に進行中であり、それを政策的に自然に後押ししてやるだけでよい。

ということになります。

孤立するアトキンソン氏が過激化する悪循環

ここまでで、「市場の重要性を知っているけれど、日本的企業のあり方の重要性も知っているアトキンソン氏」の路線について、お分かりいただけたと思います。

しかし、私がやるべきだと考えているのは、あくまで**「そのアトキンソン路線を、100倍丁寧にやる」**という方針です。「100倍丁寧」とはどういうことでしょうか。

実は最近のアトキンソン氏本人は、あまりに日本社会が彼の言っていることを受け入れてくれないばかりか、事実と違うデマのような暴言を投げかけられることが増えて、以前よりも少し極端に論争的な意見を連発するようになっています。

しかも今の日本の空気では、本来アトキンソン氏の真意を理解してくれそうな層は彼を誤解したままになりがちです。むしろ「竹中平蔵型の市場原理主義」を憎悪し、格差社会を憂いているタイプの人が、本来的な彼の真意を理解してあげられるといいのですが。

一方で「日本社会のナアナアさが嫌いで、もっと厳しい市場主義的改革を求める層」が喜ぶようなことを彼が言うと、急激に人が集まってきて賛同の声を上げてくれる。それゆえか、アトキンソン氏自身もだんだん竹中平蔵氏と似たようなことを言う方向に引っ張られてしまいがちなのが悲しいところです。

コンサルタントとしての経験から言うと、「知的な提言」が古い共同体に受け入れられないとき、必要なのは「もっと自説を補強して論破」することよりも、実行段階での懸念点についての先回りした安心感を与えるディテールを、「解決策」や「問題分析」の10倍ぐらい話すこと、です。

　ここまでの話でも指摘してきた通り、アトキンソン氏のような人の意見に「違和感」があるとき、その「社会側の違和感」というのは結構重要なヒントになっているはずです。特に「具現化に向かう時の細部の調整」のための、重要な情報であることが多い。デマは論外ですが、アトキンソン氏に暴言を吐いている人たちの存在には、「防波堤としての暴論」としての役割もあります。

「防波堤としての暴論」とは、強力な相手勢力に押し切られてしまわないために、こちらも暴論を持ち出してそれを防ごうとする仕組みです。相手が強ければ強いほど、暴論も激しくなり、時にデマまで持ち出して、相手の論の正統性を挫こうとします。

　しかし、日本における「抵抗勢力さん」の「言っていること（＝防波堤としての暴論）」を真面目に額面通り受け取って議論してもあまり意味がありません。彼らは、「適切な配慮なしに改革すると酷いことになるぞ」という「危機感」を、色んな「理屈付け」を行って表明しているだけだからです。

　そこにある混乱は、「欧米的な物の見方」だけから見ると非常に「分からず屋のカタマリ」に見えてしまいますが、そこに「日本らしさ」が詰まっているところでもある。

だからこそ、日本のローカル議論にカスタマイズされた「100倍丁寧なやり方」が必要になるのです。

「小規模企業であることがむしろ有益なケース」を押し潰さない配慮

もし「既に自然に起きている中小企業再編」にさらに踏み込み、政策的な後押しによって加速させるのだとしたら、アトキンソン氏の議論には、あと一歩「丁寧に細部を解きほぐす」べき点が2つあります。

①小さい企業が温存されていた方が良い分野もある。
②単なる大企業化ではなく、「小規模事業体をソフトウェアで連動させる解決」が見えてきている分野もある。

先ほど書いたアトキンソン氏提唱の「ＳＩＮＫＩＮＧ」国家を見ていると、美食で有名な国（イギリスを除く！）ばかりです。そして、こうした国は「システム化」されたチェーンストアよりも、個人のお店に親和感があります。「一国一城の主」的なロマンが好きな国民性ともいえるかもしれません。

確かにアメリカの会社はすぐにチェーン化されるため労働生産性が高いことは分かっていても、日本の外食がマックやケンタッキーのようなチェーンストアばかりになっていいのか、と言われれば、日本人としては直感的に違和感を覚えるでしょう。

もちろん、「具体的な中小企業保護政策の結果」として「企業規模の小ささが温存されているのだ」という分析があるのは分かります。ではなぜその国で「中小企業である方がトクな政策」が採用されるのか？　という「原因の原因」まで遡ると、そこには一種の「文化的」なものの影響も見てとれます。「企業規模が大きくなる」ということは、「一国一城の主的に好きにやりたい」という個々の〝気持ち〟が制限されてしまうからです。

一方で「システム化される前の俺・アタシの感覚」をキッチリ持ちたいタイプの国民

性の方が「美食国家」になっていたりする、という国民性の問題があります。

さらに言えば今の時代、「規模の経済」が効く産業と、そうではない産業がどんどん分離していっています。

アトキンソン氏は「ひとりビジネス」的な「ライフスタイル起業」に否定的な見解を何度も著書の中で述べています。

しかし、今後ほとんどの産業の半分ぐらいは、「YouTuber」的な芸能人ビジネスに近い要素が増えるというか、外食にしろ観光にしろ何らかのモノを売るにしろ体験型サービスを売るにしろ、「SNS的にファンが増えて爆発的に成功するか、閑古鳥が鳴いているかの二極化」というような世界になる分野が多い。

だからこそ、「零細企業」どころか「個人ビジネス」レベルで個人が好き勝手、感性のままにアレコレやるチャレンジが大量に必要な業態が今後結構出てくるはずです。

つまり、今後は「芸能人ビジネス」的な要素が全然ない堅い商売については、アトキンソン氏のビジョンのようにどんどん大きく統合されていく流れを妨げないようにする一方で、「ライフスタイル起業」的な小規模な無数のチャレンジは、むしろ今後どんどん増えていくのを妨げないようにすることが重要なのだと思います。

大規模化ではなく、小規模事業をソフトウエアが束ねる解決策

もう一つ、アトキンソン氏のビジョンに違和感があるのは、「ライフスタイル」的な個人のチャレンジが、ソフトウエアの向上のおかげで、非常に小規模のままできる時代になっていることを評価していない点です。

私のような個人のコンサルティング会社は、昔なら事務員を数人雇ってバックオフィスを作る必要がありました。しかし今やあらゆる経費精算がほとんど自動のクラウドサービスで一瞬で完結するので、年1回税理士さんに決算と申告だけお願いすればなんとかなります。

「農業も大規模企業化するべきだ」と言われ続けながら、なかなかそうならないのは、千差万別の地域事情や台風などの気候リスクを「企業」組織が引き受けるのが難しいからです。そのため、最近はむしろ農協を敵視しすぎず、耕作能力のある主体に畑を貸し

出して集約することで、実質的な大規模化とリスクの分散を両立させていく方向が見えてきている。

アパレルも、ユニクロぐらいの超巨大「工業製品」的なサイズの企業以外は、結構「芸能人ビジネス」的な世界が増えてきています。「インフルエンサーが自分ブランドの服をデザインする」レベルではもう本当に「一人でやってる」ぐらいの単位で無数の「ライフスタイル起業」のチャレンジをし続けていて、一方でそういうブランドの仕事の実作業を何十と引き受けて採算ラインに乗せる縫製工場の方は、古いタイプの「安定した組織」になっていると言っていいでしょう。

一個一個の「個」ビジネスに、以前は小さい単位でそれぞれくっついていたものを切り出して一カ所に束ねることで、「規模が必要な部分は規模を大きく」と「個の自由さが大事な部分はトコトン自由に」を両立する、最適連携を模索する形ができ始めています。

「個」であることが必要なビジネスはどんどん「個」の自由さを追求していき、逆に「集団」であることに意味があるビジネスは一カ所に集まって「たくさんの個のビジネス」の特定部分だけを束ねて規模を出す構造になっていっているのです。

最先端ITがもたらす『スイミー』のような世界もある

より「最先端」的な例として、「キャディ株式会社」が挙げられます。ここは日本の中小製造業の受発注プラットフォームをAIで自動化しているベンチャー企業で、さまざまな「中小製造業」それぞれの得意不得意をちゃんと理解した上で、大企業側が発注するに当たってそれを「登録している企業群」に人工知能で最適に振り分けるシステムを運営しています。

要するにレオ・レオニの絵本『スイミー』の話のように、「無数の中小企業」を「革新的なソフトウェア」で結び付けることで、「擬似的に大きな会社のように運営」できるモデルが生まれてきているのです。

「大企業化」することで、意思決定が官僚的になって動きが遅くなるし、細部の個別的事情にフィットさせづらくもなります。

そのため、「単純な規模の経済」が効く分野でアトキンソン氏の言うようにどんどん統合が進むべきである、というのはものすごく重要なことだと思いますが、一方で、

「無数の独立小規模事業体をソフトウエアで擬似的に結びつけて効率化する」タイプの解決策は、今後非常に重要になってくるはずです。

要するに「場合分け」をもっと丁寧にやることが必要で、半導体のように兆円単位の投資が必要になり続ける業界では日本の「大企業」ですら規模が小さすぎて韓国や台湾の超巨大財閥にいいようにここ10年やられてしまっているわけですから、そういう業種は統合して規模を追うしかどうしようもない。一方で個人のコダワリをしっかり追求したライフスタイル的チャレンジが無数に必要な分野も今後ますます重要になってくる時代でもあり、「平等な負担を求める」という名目によって、そういう業態で必要な「多産多死型のチャレンジ」を起こせなくしてしまうことも日本のエリート層が犯しがちな過ちとしてあるでしょう。

そのあたりの「日本社会の実情に合わせたラストワンマイルの細部の配慮」を、ピンセットで一つずつ剥がすように丁寧に行うこと、それが**「竹中平蔵でなくアトキンソン路線を、さらに100倍丁寧に」やれば本当に改革が進む**だろうと私が考えることの中身であり、それによって**岸田政権の「新しい資本主義」という漠然としたビジョンの**

「具体的な中身を詰める」ことが可能になるでしょう。

結局、敵と味方に分かれて空疎な「議論という名の罵り合い」をするクセをいかにやめられるかが重要なのです。

私たちがいかに「無意味な議論」にエネルギーを浪費しているかの例として、兵庫県養父市の国家戦略特区の事例があります。

養父市で、（専用の農業法人でなく）普通の企業が農地を所有できる特区の規制緩和が行われていましたが、それを全国に展開するか否かで大きくモメたあげく、結果見送りになりました。

養父市は、企業による農業参入が進み、耕作放棄地になっていたところも営農できるようになった、という「成功事例」となっていただけに、農業改革を訴える側から「なぜ規制改革を行って、これを全国に広げないんだ」という反発の声が上がりました。

こういう問題が起きると、すぐに「水派（改革派）」の人たちは「まさにこれこそが日本がダメな理由そのものだ」という批判をしがちです。「こうやって抵抗勢力によって改革が骨抜きにされていくのだ！　こうやって老害どもに押さえつけられたまま、この国は沈んでいくんだ！」……ＳＮＳでも毎日見かける「議論という名の罵り合い」です。２０２１年10月の衆議院選挙における政策論争でも、日本維新の会が「今の日本がダメな理由」の典型的な事例として批判していました。

一方で、「油派（抵抗勢力派）」の人たちは、この手の議論に対抗するために、ものすごく大上段な「農業を営利企業に担わせるなんて、日本の食料を売り渡す気か！」といったトーンで話しがちです。

しかし、そういう**「脊髄反射で湧いてくる紋切り型の議論」は、どれも幽霊相手にケンカをしているような空疎な議論**なのです。

なぜ養父市は無意味な罵り合いをせずに済んだのか

とはいえ私もこの話を初めて聞いた時は、「必要な規制緩和を頭の固い役所が否定した、日本経済停滞の元凶のような事件」として紹介されていたので、そうなのかなと一瞬思いました。しかし、その後クライアントにいる農家の人と細部を詳しく調べて議論したところ、そういう「図式的な対立」がいかに無意味か、が分かってきました。

なぜなら、「現時点で既に、企業が参入しようとすればいつでもできるぐらいには規制緩和されているから」です。

一応規制されているのは農地を「購入」して参入する場合だけで、リースで参入するぶんにはほとんど規制はなくなっています。「購入」もそれ用の法人を作ってやるのなら問題ない程度には緩和されている。そして今回、規制の全国展開が見送られることになったのも、農水省の資料によれば、養父市の事例でも実際に農地参入した企業はリース形式がほとんどだったからだそうです。規制が形式的に残されたのは完全に撤廃すると全国で乱開発などの事例が懸念されるからで、実質的な規制は今やほとんどない。

つまり「養父市の成功事例」は新たな規制緩和を行わなくても明日にでも全国で同じようにやれる状況にある。

にもかかわらず、脊髄反射的に「いつもの議論」が巻きおこって、「こうやって老害たちが新しい試みを潰す日本は衰退するしかない！ vs 食という人間の根本まで営利企業に担わせようとするなんて強欲な資本主義者どもめ！」という必死の罵り合いをしている人たちは一体何を相手に戦っているのでしょうか？

こういう**「幽霊相手のケンカ」**のようなことにいかにエネルギーが空費されているか、考えてみるべき時が来ています。

養父市の成功の理由は規制緩和そのものではなく、市長が旗振り役となって多岐にわたる関係者の利害を調整し、具体的に動かしたから起きたからです。「幽霊相手のケンカ」に大声を張り上げて何か意味のあることをしたつもりになっている人たちによって物事が進むことはありません。

養父市の広瀬栄市長は「企業参入に対しては農家からの反発が強かったのではないか」という質問についてこう述べています。

広瀬市長「むしろ、新たな農業従事者の一員として歓迎していますよ。最初のうちは、廃材置き場や宅地にされるのではないかと、不安に思っていたかもしれません。しかし、農家の人たちも、このままでは自分たちの世代で農作が終わってしまうかもしれないという危機感があったと思います。そこで企業が『我々がしっかり耕します』と説明しました。さらに一緒になって汗をかくうちに、徐々に信頼関係を築いていったのです。企業と農家の間に立って話し合いを行った職員のチカラも大きいと思います」
「ある集落では、農地の5～6割が耕作放棄地になっていました。そこに企業が入ったことにより、全ての農地が蘇った。さらに、企業の従業員である若者が、農業をやるために移住をしてきて、地域全体が若返ったんです。徐々にですが、こうした事例ができつつあります」（「自治体通信Ｏｎｌｉｎｅ」インタビューより）

この話のように「養父市じゃこうやってうまくいったらしいよ」という情報だけを単に日本全国で共有していけばいいところ、今は脊髄反射で巻き起こる「幽霊相手のケンカ」のような議論の声が大きすぎて、かき消されてしまっているのです。

今や現実として地方では耕作放棄地が増えすぎて何らかの対策が必要なのは明らかで、現役世代の農業従事者で企業を敵視している人などほとんどいません。

大事なのは、脊髄反射で巻き起こる「20世紀の亡霊のようなイデオロギー的空論」ではなく、養父市で起きた「成功事例」を横展開できないか、農協的な組織も巻き込んで一緒にやっていく「風潮」を作っていくことです。「善なる俺たちvs絶対悪のあいつら」的な空論で大騒ぎをする人たちから、日本社会の主導権を取り戻していき、この「養父市じゃこうやってうまくいったらしいよ」「へえいいじゃん、ウチでもやってみよう」という自然な回路だけが縦横無尽に行き渡るように変えていければいいですね。

「善なる俺たち」と「極悪なあいつら」の構造を壊す

この章は「経済・経営分野」の具体的な議論に慣れていない人には目新しい話が多かったかもしれません。

けれど、単にインテリ目線でマクロに見るだけではなく、「現場レベル」を渡り歩いてミクロな話とも往復しながら網羅的に考えてみると、普段目にする「熱い議論」がいかに現実と関係のない幽霊みたいなものと戦っている空論なのかは、お分かりいただけたのではないかと思います。

既に「現場レベル」では中小企業再編は着実に進んでいますし、「やっぱりコレはあらゆる関係者にとって良いことだなあ」という感触も伝わってきています。

私が第一章で書いたクライアントの事例では、「怒鳴り合うようなドラマティックな変化」など全然ないうちに、いつの間にか気づいたら「大変革」レベルのことが実現していました。

ひょっとすると、政策的に大げさな推進策を無理やり取るようなことをしなくても、徐々に日本社会の現場的コンセンサスができてくれれば、中小企業再編は結果としてどんどん進むようになるかもしれません。

能天気なことを言っているように思われるかもしれませんが、私は最近、最初はバカにされていた「ゆるキャラ」が気づいたら日本中どころか世界中にあふれていたような、そういう「論争しない浸透力」こそが、日本を本当に動かすには大事なのではないか？と考える時もあります。

「アトキンソン路線」と一言でまとめてしまうと、強欲な市場原理主義者が全てをなぎ倒して労働者を搾取する話に聞こえますが、ここまで読めば「竹中平蔵路線の血も涙もない市場主義」とは随分と違う現場的な実感の延長にあるビジョンであることを伝えられたのではないでしょうか。

ここにある「一見微妙な違い」は現実的には「ものすごく違う」ものです。今のように「一緒くたに全部否定」していると、結局「市場」的なものを一切拒否して「油の世界」だけで引きこもる案しか出てこないことになってしまいます。

だからこそ、**この「微妙な違い」を非常に重要なものであることを理解して、丁寧に「水と油が溶け合うマヨネーズ」を作っていくことで、市場が持つダイナミズムを取り込みながら、日本社会が持つ美点を失わずに、自分たちの独自性を自信を持って提示していくこと**が可能になります。

これは「付いてこられない中小企業には死ねというのか!」という話ではなくて、実際には余力があり優秀な経営者がいる企業に統合していくことは、それによって労働者の待遇を改善するためにぜひとも必要なことだし、放っておいても今日本で毎日起きていることでもある。

「キャディ株式会社」のような先進的な発想の会社が、日本の零細ものづくり企業を

「スイミー」の話のように統御して生まれ変わらせていく流れも自然に進んでいっています。

「水の世界だけ」の暴走も良くないが、「油の世界だけ」で生きていくこともできない。

その無意味な罵り合いから脱却して、丁寧に「マヨネーズ」を作っていきましょう。

罵り合いでなく対話を。具体的な工夫を積んでいく知恵を。

そこから日本の「本当の改革」は始まります。

この章のまとめ

■岸田政権的「新しい資本主義」のために必要なのは、「血の通った市場主義」である。

■市場原理主義的竹中平蔵路線ではなく、日本企業の現場を知るデービッド・アトキンソン路線が必要。ただし、100倍丁寧に！

■「中小企業を潰す気か！」では分からない、本当の中小企業の現状に目を向けるべき。

■イデオロギー的に反発して全否定せず、相手の言い分からダイヤをより分けて大事なものを活かそう。

■一見、水と油に見える対立構造の「エマルション化」を図れ。

■「防波堤としての暴論」は防御態勢なので、なぜそれが出てきたかを見極めよう。

第三章

「コロナ議論」から「全てがイデオロギー対立に見える病気」を克服する

日本の「コロナ対策」は大失敗だったのか？

第一章の「個人や一つの会社レベル」の話よりも、第二章の「経済」レベルの話よりも、さらにメタ正義的な解決が難しいのが「国」や「社会」レベルの課題です。

「経済」では、社会全体の「議論」において「水と油の罵り合い」があふれていても、私のクライアントの優良中堅企業などが地味にひっそりと「意味のある統合作業」を続けることができます。

「経済」においては、「メタ正義的解決が大事だ」と気づいた人たちだけがそれぞれ勝手にやればいい話なので、社会の中のほんの一部でも「水と油がうまく混じり合うマヨネーズ化」が進めば、その分野においては自然と「新しい資本主義」がその場で即、実現していくことになる。

しかしこれが「国」単位で何か決め事をして動かすことが必要な分野になると、そういうわけにはいきません。明確に「噛み合った議論」をして、国全体で「こうします」と決めないと動かせない分野は、「個人レベル」よりも「経済レベル」よりもさらに難易度が高く、国全体の「メタ正義感覚」の練度が問われる分野だと言えるでしょう。

逆に言えば、「国レベル」の話はそれだけ難しいからこそ、「国レベル」でもメタ正義的な解決が自然に行えるようになりさえすれば、その相乗効果で「経済レベル」でも「個人・一企業レベル」でも、もっとメタ正義的な解決を模索することが「自然なこと」になって、さらに加速して変わっていくことが可能になるでしょう。

そういう問題意識を持って、2020〜2021年に、世界中で「国レベルで解決策を探す」やり方の品評会のようになった新型コロナウイルス問題について考えてみましょう。

2021年5月ごろに法事で実家に帰る用事があった時に、母親やその周囲のママ友さんたちの「気分」について聞いたところ、あまり政治に興味なさそうなグループでも「日本政府って本当にダメねえ」という評価になっていたのが印象的でした。

当時はワクチン接種で先行した欧米で一気に平時に戻りつつある印象が持たれていたのに対して、出遅れた日本は、「日本のコロナ対策は大失敗だった！　日本はもうダメだ」という「世間的印象」がぬぐい難い状況になっていました。

図6　世界の累計感染者・死者数　2021年12月22日現在　NHK提供

	国名・地域名	感染者数	死者数
1	アメリカ	51,272,854	810,045
2	インド	34,752,164	478,007
3	ブラジル	22,219,477	617,948
4	イギリス	11,542,143	147,433
5	ロシア	10,089,945	293,329
6	トルコ	9,211,710	80,778
7	フランス	8,515,067	119,439
8	ドイツ	6,889,437	109,328
9	イラン	6,175,782	131,167
10	スペイン	5,585,054	88,887
⋮			
30	日本	1,729,357	8,378

その後も「政府の新型コロナ対策を評価しない」率は、各種の調査で最大70%に迫る勢いで、菅政権が就任一年で退陣する原因にもなりました。

しかし、そういう「日本政府ってほんとダメねえ」の印象を排してデータを確認すると、図6のように、2020年の日本は死者数で言えば欧米と比べて10分の1、20分の1、米国と比べれば50分の1というレベルに留めることができている。

それどころか、なんと「超過死亡がマイナス」=「例年よりも死んだ人の数が少ない」という、世界的にも数少ないトップレベルの「コロナ対策成功」という結果になっていたことが分かります。

確かに台湾や中国、そしてニュージーランドなど、日本よりもさらに感染者数を抑え込んだ成功例はあります。しかしそれらの国では、隔離違反をすれば数十万円の罰金を科すなど、過去の戦争ゆえに国家の権限をガチガチに抑制してきた日本には、とてもできないような対策が含まれていることに注意が必要です。

もしそれらの国レベルの「対策」を望むのなら、日本政府にもっと「権限」を与える提案をしなければなりません。「台湾はスゴイ！　日本は本当にダメ」と言った次の日に「政府に強制権限を与えるのは反対！」と主張するようでは、支離滅裂としか言いようがありません。

新型コロナウイルス対策において、特に中国のように政府が強烈な権限を持っている国が当初かなりうまく対処できたように見えたために、「もう民主主義は終わった！」というような意見すら真顔で話される時代になってしまいました。

しかし、昨今の中国政府はあまりに強烈なトップダウンの権限を持ちすぎていて、「女っぽい男性アイドルは禁止」とか「子供がゲームできるのは平日90分まで」だとか、その他あらゆる国民生活の細部まで思いつきのような強烈な規制を連発。13億人がジェットコースターのように振り回されるようになってしまっています。

確かに危機の時には権限を集中した方がいいことも多いですが、集中した権限が「良いこと」だけに使われる保証はどこにもありません。もちろん他国のことなので、それで中国人がハッピーならいいのかもしれませんが、私たち日本人としては、あくまで面倒くさくても民主主義的な仕組みの可能性を追求したいと考えている人の方が多いでしょう。

強烈なトップダウンの効率性は多少犠牲にしますが、しかし「メタ正義的な連携」が縦横無尽に行えるようになれば、本当の豊かな「衆知」をスムーズに吸い上げて次々と対策を実行し、「効率性」においても強権的な独裁方式よりも勝ることができると私は考えています。

そのためには、「国が決めてやること」においても「党派的罵り合い」を超えたメタ正義的解決をスムーズに起こしていく方法について考えなくてはいけません。

そうやって、「国全体」といった単位で「メタ正義感覚が体質化」するようになってくれば、第二章で述べたような「経済」レベルにおいても、そして第一章で述べたようにあなたが所属する「小さな職場」単位で見ても、あるいは家族関係といった「日常生活レベル」においても、より自然な連携を成立させやすくなっていくでしょう。

「極論を言う人」との適切な距離感が大事

1億人以上いる国民がみんな好き勝手なことを言える自由主義社会において、新型コロナウイルス対策といった「一つの課題」に向き合っていくには、「極論を言う人」との適切な距離感が大事です。

普通の人は今までの常識的な考え方に引っ張られがちですから、それを超える「極論」を言って議論を豊かにしてくれる人は当然必要です。だから、「極論を言う人」を抑圧してはいけないし、自由な議論に引き込んでいける余裕を持つことが望ましい。

彼らが「真実の一端」を掴んでいることは多いですから、その「今までの常識を覆す真実」を取り入れて今の社会を改善していくことが重要なのは言うまでもありません。

しかし一方で、「極論を言う人」は自分の正しさに凝り固まっていて他の人の意見を聞かない人も多く、そのアイデアを実行に移す場面においての社会の他の立場の人々との細部の微調整といった課題が苦手な人も多い。

だからこそ、「自分たち＝絶対善」「自分たち以外の社会＝絶対悪」といった世界観で騒ぐ人たちの言うことを聞きすぎても、余計に社会は前に進めなくなってしまいます。「極論を言う人」の中には社会に対する憎悪の塊みたいになってしまっている人もいて、ついつい「黙殺」してしまいたくなります。しかし「メタ正義感覚」を持って、彼らの「存在意義」を自陣営に取り込もうとしないと、彼らは恨みをため込んで延々と自分たち以外を攻撃し続けるでしょう。

社会全体が「メタ正義体質化」するためには、自分たちだけの「ベタな正義」を主張する人々の意見を拒否しないで、その「存在意義」を「メタ正義的に取り込んでいく」ことが必要になります。

日本特有の「出羽守バイアス」とは

日本の場合、物事を非常に難しくしているのが、「政府批判」をする人たちの中にいわゆる「出羽守バイアス」に凝り固まった人たちがかなりいることで、それが輪をかけて議論を混乱させています。

「出羽守」というのは、出羽国（現在の山形県と秋田県）を統治する者……という古い役職名にかけて、「欧米ではこうなのに日本でこうなのは本当にダメだよね」という話ばかりする人、という意味の言葉です。最近では「欧米ではこうなのに日本はこうだ。もう日本はおわりだ！」という話ばかりしている「尾張守」という用語もあるとか（尾張は現在の愛知県西部のこと）。

「バイアス」は偏見を意味するため、つまり「出羽守バイアス」というのは、常に欧米を現実以上に理想化し、日本が「ダメな理由」ばかりを話す人が持つ偏った見方のことを表します。

これは少し「ネットスラング」的な出自の言葉なので拒否感を持つ人もいるかもしれ

ませんが、実態をこれ以上に的確に表している言葉もない（何よりユーモアがあってい
い）ので、本書でも使うことにします。
コロナ禍中の日本国内における色々な混乱は、「政府批判側の極論」を言う人たちの「出羽守バイアス」が強すぎ、逆に日本の当局者が自分たちの対策の現実性を維持するために過剰に保守的な見積もりに引きこもってしまう、というような因果関係で起きていたのです。

経済面の指標でも日本は「まあまあの結果」を残している

これは経済面においても同じことが言えます。コロナ問題による経済の落ち込みも、日本の場合はイメージとは違って、国際比較ではかなりマシな部類に留めることができました。

ＩＭＦの「世界経済見通し」集計による２０２０年の実績値でＧＤＰ成長率を見れば、日本はマイナス４・８％という結果。これはマイナス３・５％のアメリカよりも少し悪

く、平均マイナス６・６％のユーロ圏と比べればまあまあうまくやれていたレベルだと言え、マイナス９・９％のイギリスと比べれば断然マシな結果です。

死者数で見れば世界一レベルの結果であり、経済の落ち込みは先進国で平均レベルの結果であると聞くと、「日本のコロナ対策は世界の恥レベルの失敗だった」というような世間のイメージと比較して、意外だと感じる人も多いのではないでしょうか。

もちろん「２０２１年経済見通し」では、ワクチン接種が早めに進んだ欧米の数字の方が良いので、そんな時だけ日本のメディアは「欧米に比べて日本の数字が低い」と騒いでいました。しかしその後欧米の感染再拡大が問題になったり、ワクチンで追い上げた日本の感染が世界比較でも落ち着いていることなどを考えると、今後についてそれほど悲観的になる必要もないかと思います。

にもかかわらず、コロナ禍の時期を通じて、こういう「必死に対策して70点取っている政府を０点だと言い張る」ような出羽守バイアスに満ちた言論が社会に満ち満ちていました。

反権力をたぎらせると事実が見えなくなる

「まさかそんな。日本のメディアはちゃんとやっている。おまえは政府を擁護したいがためにレッテル貼りをしてるんだろう」と思われそうなので、申し訳ないですが具体名を挙げさせていただくと、一例として、日本国内の「反権力感情」をたぎらせている人々のアイドル、東京新聞の望月衣塑子記者が以下のようなツイートをしているのが話題になっていました。

〈独は、緊縮財政を進めてきた結果、有事に大きな財政出動ができる。
アベノミクスを進め、赤字国債を発行し続けた日本は、飲食店に一律6万円のみだ
英 営業停止の飲食店などに最大126万円支給
独 飲食店には、前年の売上最大75％を支給、賃料などの経費の最大90％を支援〉

実際には日本の飲食店休業支援は「1日6万円」だったので、月30日なら180万円

もらえることになります。つまりツイートで引き合いに出している「イギリスの126万円」より日本の方がむしろ断然額が多い。明らかに事実関係が間違っています。

これは日本でよくある「『自分たち＝絶対善』にするために、『日本政府＝絶対悪』に設定してしまう」「自己目的化した反権力」の問題点が色々と象徴されているツイートだと言えるでしょう。

「1日6万円なら月で180万円」という「明らかに間違っている単純な計算間違い」の話だけではなく、ドイツの内容と比べても日本の飲食店の時短営業協力金は全然劣っておらず、むしろ対象によっては十分すぎるほどでした。多くの小規模飲食店において、普段の売り上げを補って余りある金額になっているという試算も出されているぐらいだからです。

日本政府が出しているコロナ対策費用のGDP比の国際比較では、各種調査において、だいたい世界でトップ3に入るレベルに達しており、東京商工リサーチの「全国企業倒産状況」によれば、日本政府の支援があまりに手厚かったので、2020年の企業倒産件数は1990年以来30年ぶりの低水準（コロナ禍にもかかわらず！）だったほど。

左の図7のように、日本以外の世界中ではコロナ禍を通じてクビを切られて失業した人があふれていました。アメリカの失業率は信じられないほど鋭角に跳ね上がっていますが、OECD諸国平均やお隣の韓国でもかなり失業率の上昇が見られます。

一方で日本では2019年の2・4％から20年の2・8％に微増しただけです。なぜこんな違いが生じたかといえば、日本政府が必死に「みんなの雇用を守る」ための種々の補助金を出して支えたからです。

つまり、この2年間日本のネット空間で大量に見かけた、「欧米は人命や人々の生活を大切にする高潔な政権だが、日本の自民党政権はクズだから国民に全くお金をかけようとしない」「大量のコロナ失業者を見殺しにしている」「やった政策と言えばアベノマスク配布だけ」といった放言は、**根底的に間違っている**ことが分かります。

冷静に事実を確認すると、日本政府はそれなりに頑張っていて、国際比較で見ても70点ぐらい取れていることは明らかです。にもかかわらず、日本における「反権力が自己目的化」したような人たちの間では、「世界の恥だ」「日本に生きていることが恥ずかしい」「国民の命なんてどうでもいいと思っているクズどもの政権」などと大騒ぎする事

図7 各国の完全失業率（月次、季節調整済）

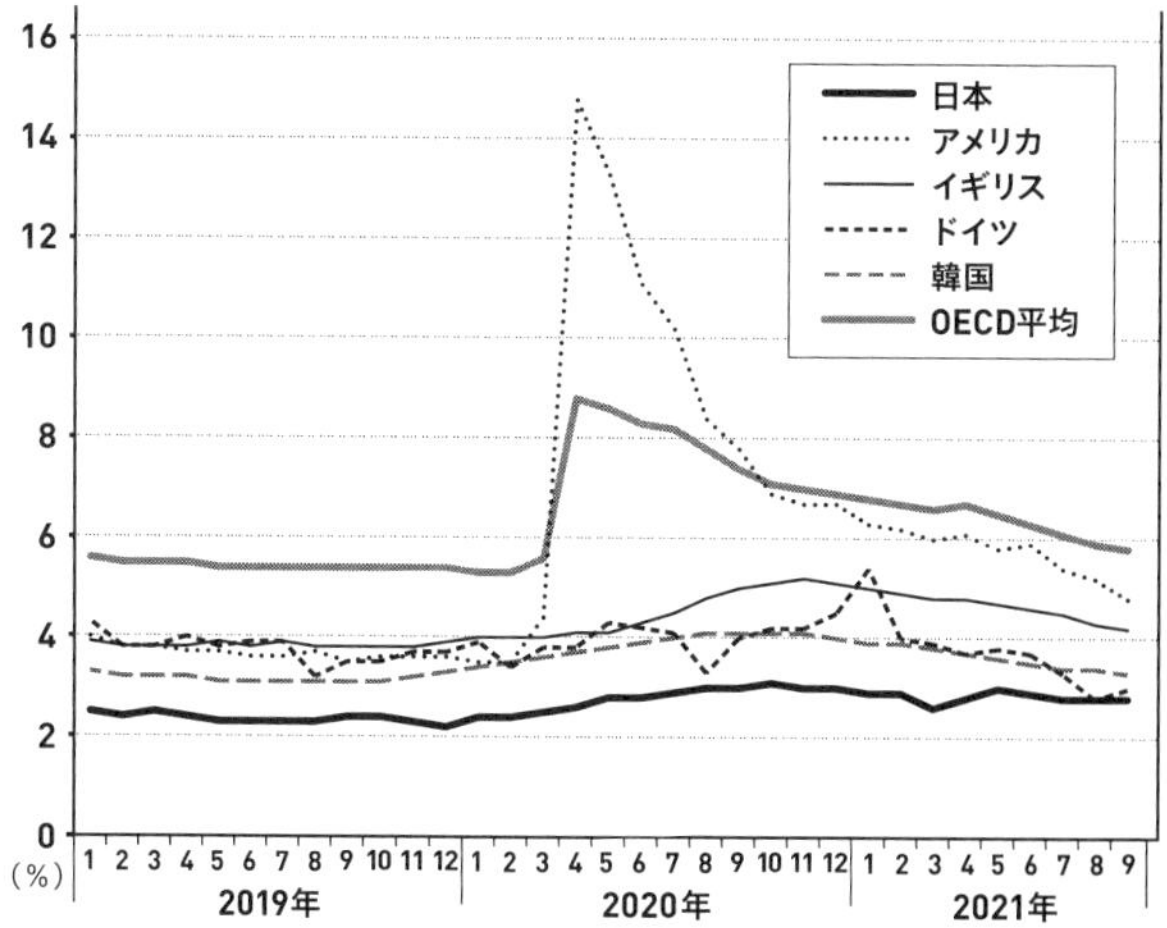

出典　OECD.Stat（2022年1月6日現在）

が常態化していて、**日本における「政府批判」がどんどん妄想の中に取り込まれて機能不全になっていく**様子は、頭を抱えざるを得ないものでした。

今の政府が70点取っているのを認めても、残りの30点の部分でもっとこうすべきだったという話はできるはずです。「政府批判」をするために、本来いちいち「政府が完全に無能」だと全否定する必要はありません。

しかし「絶対善の俺たちvs絶対悪の政府」ストーリーに耽溺し始め

ると、「政府が70点取っている事実」ごと否定して大騒ぎをしたくなって、結果として仲間内だけで騒いでいる内容が現実からどんどん遊離していってしまうことになります。

もちろん、「政府を批判してはいけない」という話ではありません。ここで言いたいのは、政府を批判するにしても、現状認識が正しくなければ、対処を間違える、ということです。政府が間違っているなら「どの程度の問題なのか」を適切に情報として取り上げなければ、「政府批判派」がどんどん現実離れしていくからです。

政府の対応は、0点なのか、50点取れているのか、70点取れているのか。間違いが起きている部分はどういう分野なのか、どこにすれ違いがあるのか。特にメディアがこれらの情報を提供せず、あたかも酒場で怪気炎を上げる勢いでとにかく「政府はけしからん」と騒いでいるだけでは、「批判」の役割を果たしているとは言えません。

実際の日々の対策を実行している当局者としては、あまりに現実離れした議論に引っ張られると「とりあえず70点取るための現状の対策」が全て崩壊してしまいます。それは防がなければならないため、すると余計に保守的な見積もりに引きこもらざるを得ません。結果として、現実の細部で細々と手を回すような対策がスムーズに進まなくなってしまいます。

本来、メディアにしてほしいことは、次の2点です。

①まずは政府が発表した「今の対策」をちゃんと過不足なくそれを必要としている人々に知らせる。

②その上で、今の制度のどこに不備があるのか？　対象が間違っているのか？　周知が足りていないのか？　金額が足りないのか？　手続きが複雑すぎるのか？　といったことを、ちゃんと具体的に取材して考える。

国民に必要な情報を伝えるとともに、考える材料を提供するのがメディアの仕事のはず。ところが実際には、「反権力を叫べるなら中身はどうでもいい型陰謀論」で盛り上がってしまっている。

日本政府なりに、かなり大盤振る舞い的な対策を打っているにもかかわらず、「欧米の高潔な政権と違って日本の自民党政府はお友達以外に興味がないから何もしてない」みたいな世界観で盛り上がられると、**そもそもの事実認識が根底から間違っているので、「その先の具体的な話」に進みようがなくなってしまいます。**

たまたま見つけたので望月記者のツイートを一例として紹介しましたが、今の日本にはこういう**「反権力を叫べるなら中身はどうでもいい型陰謀論」**があふれています。

「右の陰謀論」より「左の陰謀論」が深刻な理由

「デマや陰謀論があふれているのは政府を擁護する保守派（いわゆる〝右派〟）の間だけで、政府を批判する知的で高潔な俺たちの間ではそんなものはない」……そう思う方もいるかもしれません。

また、もともと「右派向け雑誌」で編集キャリアをはじめ、その世界があまりに一方的な意見にあふれていることに嫌気がさしてフリーになった本書の編集者Kさんも、「右の人もよほど酷いことを言っていますよ。両方取り上げるべきじゃないですか」と指摘してくれました。

私よりよっぽど憲法問題や自衛隊の扱いなどで「右！」な意見を持っている編集者Kさんでさえ、「この点」については非常に強固に「右だってかなりオカシイ」という意見を毎回言ってくれるので、やはり実際に業界内部にいた時、よほど困った状況にあるのを痛感するところがあったのでしょう。

その点は私も否定しませんが、しかし私が「右の陰謀論」より「左の陰謀論」に厳しいのは理由があります。確かに自民党の支持者の中には、「中国や韓国は大崩壊する！」とか「2020年のアメリカ大統領選挙で勝ったのはトランプ！」みたいなことを言っている人もいますが、こういうのは一見してバカバカしいことが分かるし、自民党もリップサービスをして彼らを基礎票としてうまく取り込みつつ、実際の政策ではある程度バランスを取って調整している。

つまり「右の陰謀論」はある意味で、見たらすぐ分かる単純なものです。検証するまでもないものも多いし、それに反感を持って検証しようとする人も多くいる。

一方で「左の陰謀論」の方は、一見しただけでは真偽の見分けがつきません。目にしたらちゃんと自分で調べないと騙されやすい上に、それを言っている本人たちは、「事実に基づいていない妄想の中にいるのは〝右〟のやつらだけで、国際的視野が豊富で知的で批判精神がある俺たちは常にちゃんと現実を見ている」と信じ込んでしまっていることが多いのが厄介な点です。

見た感じ知的な言葉と、非常に一面的なデータを提示して、それを「政府を批判したい人」が寄ってたかって押し上げるため、どんどん現実から離れていくことになる。

特にコロナ禍においては、今まで私も結構信頼していた上の世代の「論客」さんたちが、こぞって酒場の放言みたいなものを撒き散らしていて頭を抱えました。

中でも「平成時代」にもてはやされた「知的（と見なされていた）論客さん」たちが、ちょっと調べれば分かるようなことすら調べようとせずに、「やっぱりさぁ、欧米は人間の尊厳というものを大事にしているけれど、自民党政府は全然そんなことないから、こういう時に対応がダメなんだよね」といった程度のことを、いかにも賢そうな文章で次々と発表し、そしてそれを考えもせずにもてはやす読者層もたくさんいました。

しかもかなり有名なジャーナリストや野党政治家までがSNSで喜んでシェアをしているのを見ると、これこそが本当に「民主主義の危機」であると実感します。

これでは「現実的対策」を担っている当局は大混乱を避けるために防衛的にならざるを得なくなり、さっさと実行すべき細部の改善案ですら取り入れることが難しくなってしまいます。

「防波堤としての暴論」の背後にある切実な事情

第二章で少し書きましたが、コンサルタントとして「一つの組織」と向き合うと、「防波堤としての暴論」と呼ぶべき現象によくぶち当たります。

「現状は理屈だけでは言い返せないが、しかしそれを実行すると良くないことが起きそう」というような違和感を表明するためだけに、なんだかよく分からない無理筋の理屈で強硬に抵抗される……というような現象です。そして先にも指摘した通り、そういう「防波堤としての暴論」が生まれてくる過程での、「実際に実務に関わっている現場側の直感」にはなかなかバカにできない大事な洞察の源泉になることが多くあります。

つまり、**そういう「防波堤としての暴論」に出会った時に、その「暴論の内容」にロジカルに反論することよりも、「彼らがそういうことを言う理由」の方を深掘りすることが重要です。**

ここまで書いた「左の陰謀論」に私が厳しいのは、現実離れした「左の陰謀論」が盛り上がるほどに、それをブロックしてとりあえずの現実性を維持するための「防波堤としての暴論」として「右の陰謀論」も同じだけ必要になるメカニズムがあるからです。

「どちらの方が悪いか」というのは「卵が先か鶏が先か」という話になりますが、少なくとも**「右の陰謀論」がダメだという議論は世の中にたくさんあるけれども、「左の陰謀論」は参加している当人たちが妄想の中にいることに無自覚すぎるところに問題があります。**

「造反有理」という既に滅びたイニシエの文明の言葉がありますが、まさにその気分で「神聖な〝反権力〟という行為に人生を懸けているのだから、言っている内容が現実的に正確かどうかなど微々たる問題にすぎない」と言わんばかりの勢力がマスコミや野党議員のコンセンサスになってしまっているようでは、「右の陰謀論」も同じ分量だけ必要になってしまうわけです。

2020年から21年にかけてのコロナ禍においては、普段別の話題なら結構信頼して意見を聞いている「知的そうな人たち」が、こと日本政府が関わってくると全然聞く耳持たない感じで暴論的批判をしている例をたくさん見かけました。

そういう「政府を批判することが自己目的化した議論」ではない、「具体的な工夫の積み重ね」に持っていくために必要だった議論とはどういうものなのでしょうか？

いくつかの例を出しながら、本来あるべきだった議論の形について考えます。

「ＰＣＲ検査数をどんどん増やせ！」は正しかったか

例えば、２０２０年にコロナ禍に突入した当初、メディアやネット論壇では「ＰＣＲ検査の数を増やすか否か」が大激論になっていました。

このあたりの問題について私が整理したウェブ記事が非常に多く読まれて、医療関係者から、「医療関係者以外の書いたもので、ここまで状況を総合的にちゃんと見られている記事を初めて見た！」などと言われたことがあったのですが、その記事で使ったのが次ページの図８です。

当時、日本の対策当局者が考えていたのは、感染者数がまだ少ない段階では「１億数千万人という人間の海」に対して大量検査をするよりも、既に発見したクラスターからたどっていく積極検査に人員を集中的に使うべきだ、という話でした。

日本の専門家会議では、かなり早い段階から「大量に感染させる人とほとんど感染させない人がいる。感染力にはバラツキがある」というコロナウイルスの性質を的確に捉えていました。そこで、保健所を中心とした対策によって「大きな感染連鎖をもたらすクラスター」を発見し、そこから芋づる式にさかのぼって潰していくことで、「最小の力で最大の効果を発揮する」対策が取られ、この対策は当初、そこそこうまくいっていました。

問題は、この「とりあえず70点を取るための現実的対策」を崩壊させるような形での反論です。

10倍も20倍も死者が出ている欧米の事例を持ってきて「ホラ、日本は検査数が少ないぞ！」と言い出す暴論。検査人員が無限にいるかのような前提で作成されたプランを「人の命が懸かってるんですよ！」とねじ込もうとする机上の空論。「検査数を増やさないのは厚労省の陰謀だ」といった直球の陰謀論。こうした意見が新聞や雑誌、テレビの

図8

党派争いに巻き込まれて細かい議論ができず、「本来できるはずの理想よりはるか手前のこと」で我慢せざるを得なくなる例

Keizo Kuramoto

ワイドショーなどにあふれ返り、有名なジャーナリストや野党政治家までがＳＮＳでこぞってシェアしまくっていました。

「70点取れる現実的な対策」を崩壊させない形であれば、積極検査だってやれるものならやりたい、と日本の対策当局者は常に言っていました。

しかしそういう「現場側の事情」に聞く耳を持たない、いわば「政府批判（反権力）を叫べるなら中身はどうでもいい型陰謀論」があふれていたので、そのカウンターとして「とりあえずの現実的グリップを外さない」ために、「検査を拡大すれば医療崩壊する」というような、こちらもこちらで四捨五入しすぎて訳が分からなくなったデマのようなものが流布することになりました。

こういう「防波堤としての暴論」が返ってくるのは、その組織における「メタ正義感覚」的な対話が機能不全になっている時の特徴的な現象だと言えるでしょう。

コロナ禍においては、場合によってはノーベル賞級の理系の研究者のような知的な人物ですら、「国レベルに大きな組織を動かす」ということに無頓着すぎてかなり無茶な陰謀論を唱えていることが多かったのですが、そういうタイプの人は、「検査を拡大すれば医療崩壊する」というような「防波堤としての暴論」が出てくると、その「暴論」自体を必死になって論破しようとしてしまいがちです。

しかしそういうのは「そのまま無配慮に押し切れば大変なことになる」という「現場側の警戒警報」以上の意味はあまりないので、その「暴論の中身」自体をロジカルに突っつき回す必要はありません。

「知的な個人主義者」からすると、そういう「防波堤としての暴論」のような現象に付き合わされること自体が許されざる苦痛に感じるのでしょう。けれども「70点取れる仕組み」さえ崩壊してしまった、日本の10倍、20倍の死体を積み上げげた欧米の対策と比べた場合、日本の対応とどちらがマシだったのか。これについては真剣に考えるべきでしょう。

そこでこそ、第一章で書いた「メタ正義トライアングル質問表」の「質問4」＝「相手の存在意義と向き合う」発想が必要になる領域なのです。

本来あるべきだった「相手側の存在意義」を取り込む対話

細かい状況の変化によって「中身」は違ってくるので、以下は本当に「一例」として受け止めてほしいのですが、「片側だけのベタな正義」でなく、「両側のベタな正義を取り入れたメタ正義的対話」はこのような感じです。

「なぜ検査を増やせないんですか?」

「これ以上検査を増やせば、今は『70点取る』ために大事な対策を担っている保健所の業務がパンクしてしまうからなんですよ」

「その保健所の人員は増やせないんですか?」

「増やせる分は引退した保健師さんなどをかき集めていますし、専門知識の不要な事務作業部分は一般の公務員に手伝ってもらったりしてなんとかしようとしているのですが、専門知識が必要なコアの部分の人員は、そう簡単には増やせないんですよね」

「なるほど。じゃあ、保健所の負担を増やさない形の検査増大ならいいわけですね。何か方法はないんですか」

「安い抗原検査キットをばら撒いて、自分で検査してもらって、それで陽性と出れば保健所を介さずに自分で自己隔離してもらうという方法ならいいかもしれません」

「なるほど、それはいいですね」

「ただ、精度に限界があるので、それが『安全証明』のように受け取られて、『抗原検査で陰性だったから、何も対策しなくていいんだ!』と言ってマスクをしなかったり、大勢で会食したり……という具合になると非常に困るので、周知は真剣にやっていただく必要があるんですがね」

「しかし抗原検査の精度については否定的な意見もあるようですが」

「確かにPCRに比べると精度は低いんですが、何しろ簡便なので、頻度を高くすることができるのが利点なんですね。無症状で拡散させる患者を広くスクリーニングして確率を下げるには、むしろ『頻度』が重要なので、適切に頻回で使うことで意味を持つのがこの抗原検査なんです」

これはほんの「一例」であって具体的な内容については色々な策があり得るでしょうが、次々と変化していく情勢に応じて、常にこういう「対話」を社会のあちこちでできれば、「どちらの事情」も吸い上げて進歩していくことができたはずです。

そのためには、「実際にやっている当局者」がよく分からないことを言っているときに、その「言っていること」でなく「存在意義」に注目するという、第一章の「メタ正義トライアングル質問表」の注意点と同じ発想が必要になってきます。

この「検査数」の問題は、「自己目的化した反権力」の人々が、とりあえず思考停止して仲間内でこの話をすれば日本政府が完全に無能っていうことにできて、「俺たち＝絶対善、日本政府＝絶対悪」という神話に耽溺できる万能のマクラコトバみたいに定形的に使うようになってしまい、余計に混乱して最後までギクシャクしていました。

しかし一方で、ある程度は「メタ正義的対話」が機能したような問題もありました。

それは、「コロナ対策病床をいかに増やすのか」という課題です。

先ほど触れた、医療関係者の好評を得た私のインターネット記事でも使った図９のように、なぜ欧米よりも１桁以上少ない感染者数なのに医療崩壊するのか？　というよう

図9

党派争いに巻き込まれて細かい議論ができず、「本来できるはずの理想よりはるか手前のこと」で我慢せざるを得なくなる例

欧米に比べりゃ全然感染者少ないんだし、病床の数余ってるんだから医療崩壊なんてするわけないだろ!
調整をきちんとやればキャパ増やせそうだけど、責任持てないから病床あってもスタッフいなきゃ無理なんだよバーカって言っておこう。

Keizo Kuramoto

な問題でも当初は非常に混乱していました。

このように、細かい現場の事象に全然向き合わずに、「厚労省と医師会の陰謀だ！」といった声があふれていましたが、こういう「現場の事情に聞く耳持たない批判」が暴走していると、当局者は「はるか手前の見積もり」に引きこもってしまわざるを得なくなります。

コロナ病床確保に関する「メタ正義的対話」の成功例

ところが、2020年末ごろから、テレビや新聞などで、「どうしてコロナ病床は増やせないのか？　そのボトルネックはどこにあるのか？」を色々な事例を元に報道する例が増えました。

これは、一部の能力の高いメディア人（A）や医療関係者（B）の間で、擬人化すると以下のような「メタ正義的対話」が行われていたためでしょう。こうなると、反権力を振りかざすだけの人（C）がいかに議論の邪魔になっているかが分かります。

A「民間病院じゃコロナ診てないから、むしろ暇になってるとこもあるらしいじゃない。それで医療崩壊とかっておかしいよ。なんとかもうちょっと連携できないの？」

B「医者もその他スタッフも専門っていうのがあって、皮膚科のお医者さんが明日から重症の肺炎患者を診ろと言われても無理があるんだよね。だから病床があればいいってわけじゃなくて……」

C「なんとかする方法はあるはずだ！　人間の尊厳を尊重するというマトモな文明人としての精神が根底的にない、自民党政権下の不幸な国では私たちは見捨てられて死ぬしかないんだ！　私たちは団結してアベ・スガを辞めさせなければならない！　これは人災だ！」

A「……とはいっても重症の患者ばっかりが病床埋めてるわけでもないんでしょう？この非常時なんだからもうちょっとなんとか融通利かせる方法ないもんかね？」

B「確かに最近現場でよく言われているのは、既に回復期に入って安定してきた患者さんも、検査が陰性にならないから退院させられなくて、貴重な病床を埋め続けてるのが問題になってるんだよね。そこの基準を緩和してもらえれば、回復期の安定した患者なら診られる能力があるスタッフの数は、重症者をケアできる人数よりもっと多くなるはずだから、民間病院の協力も得やすくなるかもしれない」

A「なるほど！　それいいじゃない。そういうニュースも最近は流れるようになってきたし、そうしたら病院間連携の話も進めやすくなるよね。でも実際にそれをやるとしたら病院経営的にも難しい点があるとかいう話あるじゃない？　政府がそのへん補填することが必要だとしたら、どういう観点で仕組みを作る必要があるんだろうか？」

C「何を甘いことを言っているんだ！　ドイツ首相メルケルの演説を聞いたか？　ニューヨーク市長クオモのプレゼンテーションを見たか？　あれこそ文明国のあるべき姿だ！　それに比べて我が国と来たら……。洗練された文明人の言葉を語ることができない戦犯国家の子孫である土人どもに支配されたこの地獄のような国で生きていく不幸は本当に……」

A・B「ちょっとあんたしばらく黙っててくれないかな！」

C「……」

今は、「Cさん」の声が大きすぎて、日本社会全体でこういう「メタ正義的対話」による問題解決が一気に進んだわけではありません。それでも、東京都墨田区などの「メタ正義的対話」が「自己目的化した反権力」を抑え込むことに成功した一部地域などでは、最も感染が深刻だった時期でもなんとか医療崩壊を防ぐことができました。

複雑化した社会におけるメディアの新しい役割

本来、メディアが「自己目的化した反権力」で事実に基づかない無理やりな批判で混乱させることなく、こういう「ちゃんと取材した上で細部が噛み合った議論」をリードすることができれば、もっとこの「ベストプラクティス（最高の事例）」を日本中にスムーズに展開する政府の試みを後押しできたでしょう。病床対応で成功した地域とそうでない地域の格差も縮まっていたはずです。

「反権力こそがメディアの役割」という考え方の人は「そんなの政府の役割だろ」と思

うかもしれませんが、実際に混乱状態の中で必死に次々と対策を打っていると、どこに抜け漏れがあるのか、当局は理解しづらいものです。

それに輪をかけて、この章の前半で言ったように、「日本政府がとりあえずうまくやれていること、ちゃんとやれていること」まで全部無視して完全な無策のようにあらゆる部分をメディアが同じ調子で攻撃していたら、当局者は結局「どこが」ズレているのか判断する材料がありません。

社会が複雑化した21世紀には、単に「政府が悪いってことにできればなんでもいい」のではなくて、「どこがどうスレ違っていてどうすればいいのか」についてメディア側がちゃんと迫っていく責任まで取ろうとしないと、有益なコミュニケーションになり得ないのです。

今後必要なのは「主役」を徐々に交代させていくこと

とはいえ、「社会の一部のうまくいった事例」というレベルでは、コロナ禍中の病床確保などの課題について、ちゃんと「メタ正義的対話」を行って具体的な問題を次々と潰していくような動きは起きていました。

そういう「うまくいっている例」だけを取り出してみれば、非常に高度かつ柔軟な連携で現実に即応した対策が次々と実行されていて、ある意味で国際的にも「誇れる」事例があったと言えるでしょう。

しかしそれが「日本社会全体で」という話になってしまうと、例の「自己目的化した反権力」の無理やりな政府批判vs「70点取るための対策」を崩壊させないための「防波堤としての暴論」という仁義なき永久戦争の声が大きすぎて、スムーズに対応させていくことができなくなってしまいました。

つまり、私たちのこれからの課題は、今は「隅っこ」に追いやられてしまっている「ちゃんとメタ正義的対話ができる層」が、「世の中の全てが権力闘争に見えるビョーキ」の人たちから主導権を取り戻していくことです。

その方法は、まず「非妥協的な理想主義者の言い分」を、彼らがモンスター化する前にちゃんと取り上げる仕組みを作ることです。

「反権力芸人」がモンスター化してしまった理由

「日本の当局が取るコロナ対策に全てケチを付けて逆を言う芸人さん」であるかのように、２０２０年のコロナ禍当初からテレビのワイドショーでもてはやされて（同時に現実のコロナ対応に当たっている普通のお医者さんの集まりからは総スカンになって）いた、有名な医師がいます。

その人がコロナ禍で一躍有名になる前に出版していた「日本の医師数が低く抑えられすぎているから増やすべき」という趣旨の本は、コロナ禍におけるご本人のメディアでのイメージとは違って非常に勉強になる内容でした。

つまり「反権力芸人」的な存在になってしまったその有名医師も、最初から「とにかく日本政府の全てに反対するモンスター」だったわけではありません。

そもそもの「マトモな提案」の時点でちゃんと聞く耳を持たれ、採用されていれば、また違った形の社会での活かされ方があったはずなのです。

ただし、そういう「極端な理想主義者」の言っていることは確かに理想はそうなのだけれど、普段でもあまりに「日本社会側の事情」に無頓着であることが多い。その上主張の中に客観的な内容だけでない、個人的な恨み言のようなものも大量に混ざっていたりするために、「立場を超えた対話」が全然生まれない状況になっています。「そもそも論」的なレベルでなぜこうなるかと言えば、結局そういう「極端な理想主義者」の意見を、「現実とすり合わせて細部まで詰めていく」存在が今の日本には誰もいなかったからでしょう。

第一章の私のクライアントの事例で、「抵抗勢力になりそうだった古参役員」さんに敬意を払ってちゃんと自分たちの方に抱き込むことがスムーズな転換のカギであったように、そもそもの時点でそういう「極論的な理想家」のビジョンを日本社会の側が取り入れることができていれば一番良かったのは言うまでもありません。

ただし、そもそも「同じ社会に生きる他の人々との協業スキル」などが豊富にあったらそこまで孤立してしまったりしないという話もあって、なかなかそういう「理想的な連携」を実現させるのは難しい部分もあります。そのため、結果として彼らの「言いっぱなし」の批判だけが虚しく放置されることになりがちではある。

今の時代、「言いっぱなしの批判」でも、「いかに日本政府がクズであるか」を大声で叫んでいるとSNSでものすごくもてはやされます。私もインターネットメディアの連載をいくつか持っているので経験がありますが、何か威勢よく誰かを批判する記事を書けば、そこから1週間近くスマホの通知が鳴り止まないぐらいSNSでシェアされます。どんどん「いいね」や「RT」の数字が増えていく興奮をしばし味わえます。そういう「バズ」はやろうと思えばそれ自体をお金に変える方法もたくさんある（広告を表示したり、何らかの課金要素への誘導など）ので、その味を占めると本当にやめられない運命に飲み込まれていきます。

こうした「SNSでワイワイもてはやされる興奮」に負けてしまって、「ちゃんと現実をグリップした仕事をし続けなくては」という良識が吹き飛んでしまった結果、少数の信者さんにもてはやされるけど、マトモな人からはどんどん相手にされなくなっていく人たちを、近年はたくさん見かけるようになってしまいました。

ある意味で「承認欲求のモンスター」になってしまう事例が後を絶たないのは不幸なことでもありますが、夢破れた理想家に一応の居場所を与える「優しい」仕組みだとも言えます。

私も昔は、そういう人の理想を「閉じた議論」の中でロジカルに取り込んでしっかりと社会が吸い上げられるようにならなくてはならない……というように考えがちでした。

しかし、ある意味で「悲しきモンスターになるのも自由」「信者さんたちに取り囲まれて後半生を送っていただくのも自由」と理解するのも、「自由主義社会」であることの必要なコストなのかもしれません。

大事なのはむしろ、そういう「極論的理想家」の言っていることを、社会が適切に活かす柔軟さを、いかに社会全体で維持できるか？　について考えることです。

「メタ正義トライアングル質問表」の「最も重要な質問4」を思い出してください。**大事なのは「彼らの存在意義」を自分たちに取り込むこと**であって、「彼らが言っていること」に全部取り合う必要はありません。

そこに、「日本社会を大きく転換していく」深い知恵が潜んでいると同時に、本章の「非常に大事な発想の転換」があります。

「モンスター化したいなら、させてやればいいさ」

私が好きな日本の漫画、『ジョジョの奇妙な冒険』の中で、第一部主人公のジョナサンの父親、ジョージ・ジョースターが息子に対して言う有名なセリフがあります。

ジョナサンの愛犬ダニーがオモチャの鉄砲をくわえて離さない状況を見て、父親のジョースター卿はこう言います。

「ジョジョ　それは無理矢理引き離そうとするからだよ　逆に考えるんだ　『あげちゃってもいいさ』と考えるんだ」

このセリフは日本の漫画ファンの間では有名で、インターネット上でも色々な場面でパロディに使われていますが、単に面白いだけでなく非常に深い知恵が潜んでいるように思います。

「自由主義社会」を維持したいなら、「個人が何をするか」に対して制限をするようなことはできるだけ避けたい。「個人の意思への制限」が少しでも必要な構造をベースに社会を動かしていくと、社会が一つの方向に動いていけばいくほど、さらに強烈に「個人の自由」を抑圧するようなプレッシャーが必要になってしまいます。
「極論を言う理想家」が、ちゃんと「社会の他の部分」と対等なコミュニケーションをしっかり取って現実を動かしてくれればそれが理想です。しかし、「モンスター化する人たち」を無理やり社会と狭い意味で「協業」させようとすると、何らかの意味でその人の「自由」を束縛してしまうことになる。そのシステムを社会運営に利用すればするほど、その個人への「自由の束縛」が強くなっていってしまいます。

しかしここで「逆に考えるんだ　『あげちゃってもいいさ』と考える」とどうでしょうか。　ならば、信者ビジネスに引きこもって「世の中を呪詛するお仕事」をしていただいていればいい……。

社会の側から見れば、その「極論が持つ意味の部分さえ吸い上げて社会を改善することさえできれば、その「モンスター化した人物」に延々と付き合う必要はなくなります。あとはその「改善提案」の部分だけを取り上げて粛々と実行すればよく、その「改善提案」を人生かけてまとめ上げるためにモンスターになってしまった悲しき人物については、後半生を信者ビジネスの教祖として生きていただくことが供養になるでしょう。

そうやって、「モンスター化する理想家」は、好きにモンスター化していくことも「自由」だし、自分と立場の違う人々とのメタ正義的な対話に目覚めて実際に社会を変えていく一員になることも「自由」。どちらを選んでも全然構わないのだ……という構造をもう「前提」として認めてしまって、それでも社会全体でうまく機能するように持っていければどうでしょうか？

そうすれば、「一個一個の議論」を理性的にマトモなものにしようと必死にギチギチに監視しようとするよりも、社会のあちこちでもっと「自然にスルスルと適切な対処が進む状態」に持っていけるはず。

それこそが、

- **「メタ正義感覚が体質化する」**
- **「細かい議論にこだわるよりも〝そういう状態〟に集団を保つことが重要」**

といった、「畑を耕してあとは自然に任せる」タイプの対処のあり方と言えます。

どうすればそんなことができるのでしょうか？

左右が分裂した状態から、中央に集まる議論に向かうには

「病床数確保の具体策」の事例で見たように、「全てが権力vs反権力に見えるビョーキ」の人が多い団塊世代が引退し、30〜50代ぐらいの世代が社会の主導権を握るようになって、徐々に「実際のところはどうなのか」をちゃんと議論できる報道が増えてきているのは確かです。

「言っている内容の正確性・妥当性とかはどうでもよくて、とにかく政府に中指を突き立ててやればいいのだ」というような「自己目的化した反権力」でなく、「実際に起きていることを取材してどこが間違っているのかを具体的に書く」ジャーナリズムが今の時代には必要なのだ……という趣旨の私のインターネット記事に対して、同世代の朝日新聞の現役記者さんが「大変勉強になりました」と丁寧なメールを送ってきてくれたこともあります。

なんとか、この流れを加速させて、「20世紀的な対立」を超えた新しい議論の環境を作り出していきましょう。

そのためのビジョンについて、私はいつも左の2つの図（図10・11）を使って説明しています。

この2つの図では、横軸が左に行くほど「改革派な方向で過激」、右に行くほど「保守派の方向で過激」な意見であることを表し、縦軸がその意見の「社会の中でのコンセンサス（同意）の集めやすさ」を表しています。

最近の「社会の分断」が問題だとされている世界中の民主主義国では、このグラフは図10のようにM字になっています。

「分断」が激しい社会では、「敵陣営に属する人間が言っているまともな意見より、味方陣営に属する人が言っている、まともそうに見えて荒唐無稽な意見の方を徹底的に褒めたい」という原理でみんなが動くことになります。

すると、あまりにも極論すぎて見るからにバカバカしい意見が広く共有されることは少ないので、図の左端、右端に行くにつれて曲線は下がってきますが、問題は図中で「原爆解」「ホロコースト解」と書いた部分に、「現実的に最高とは言えないがものすごくコンセンサスを取りやすい点」が2つできてしまうことです。

図10

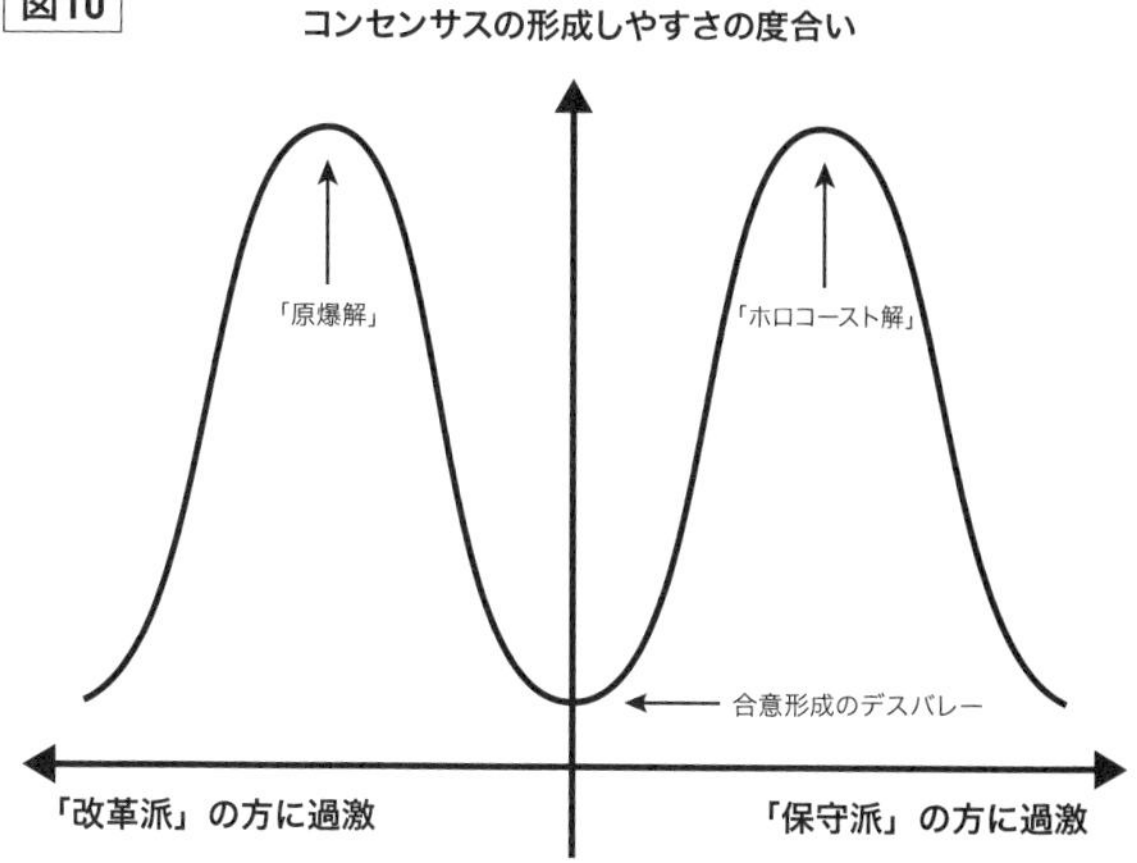

図11

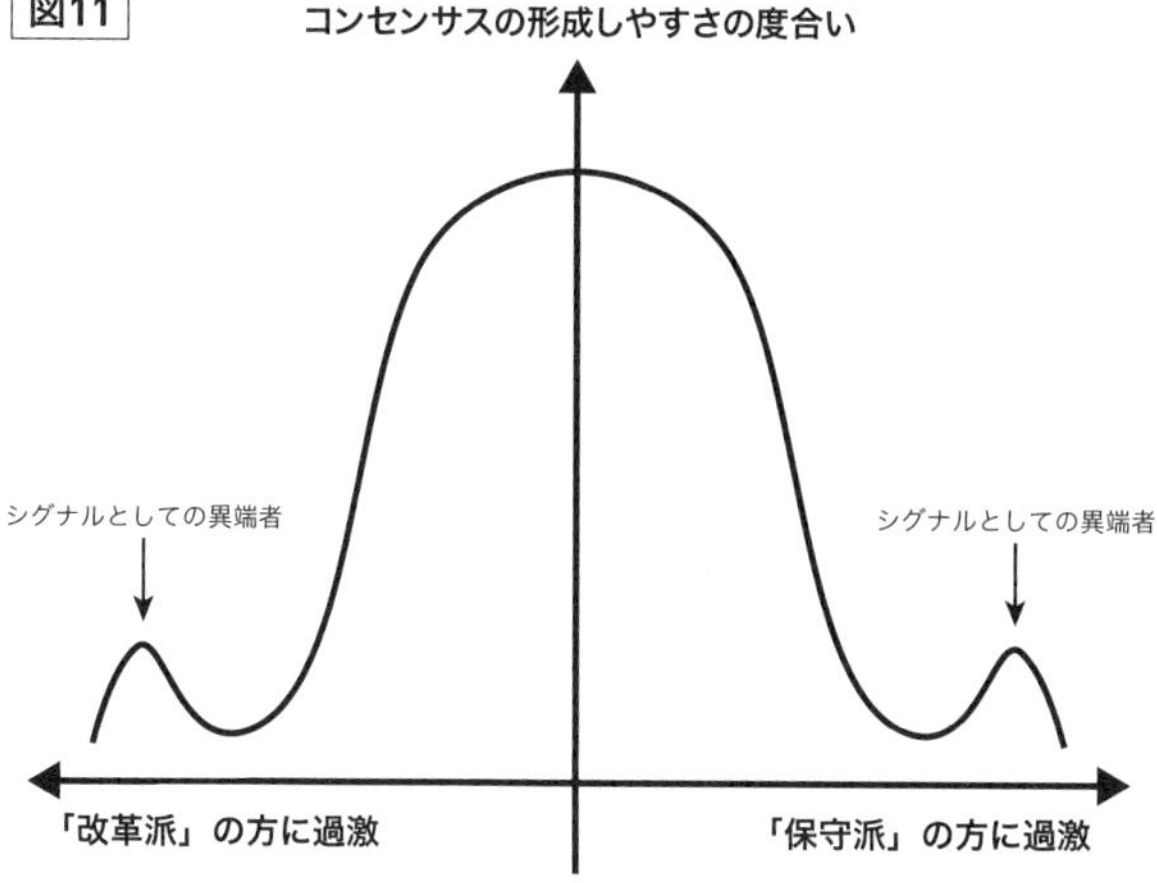

『日本がアメリカに勝つ方法』（倉本圭造／晶文社）より

なぜ「原爆解」「ホロコースト解」と呼ぶのか、については深い考えがあるのですが、話せば長くなるので（気になる方は拙著『みんなで豊かになる社会はどうすれば実現するのか』参照）、とりあえず本書の読者の方に理解してほしいことは、以下の2点です。

①「ホロコースト解」の特徴は、「そのままで行くと完璧とは言えないが6～7割ぐらいの点数が取れる。しかしその犠牲になる役割の人にとっては辛い道」であるということ。

②「原爆解」の特徴は、「その理想主義的な目論見どおり多くの人の連携を最適に取れればとても良い案になり得るが、完全に連携が取れないと目も当てられない混乱に陥る可能性がある危険な道」であるということ。

ここまで書くと、分かる人には現代社会の、あるいは歴史上の様々な問題について「ああ、そうそう、こうなるんだよねえ」的な連想が色々と働きだしているのではないかと思います。

M字分断が陰謀論の蔓延を生み出す

この第三章においてここまで書いてきた「日本社会におけるコロナ対策の混乱」についても、「ホロコースト解」のところにある「70点ぐらい取れる対策」と、「完全に理想的にあらゆることが連動して動けば確かにすごく有効だが、ちょっとでも連携が失敗すれば今の対策が全て崩壊してしまう案」との二択になって、現実的に一歩ずつ改善していくことが不可能になってしまう不幸についても、この「M字」の図で説明することができるでしょう。

結局「一番現実的で良い案を、広い連携を取って一歩ずつ進めていく」という、この図の「中央」の部分に合意形成をするのは非常に難しくなるわけで、そこを「合意形成のデスバレー（死の谷）」と呼んでいます。

こういう分断が定着すると、「陰謀論」を振りまく人が増えます。

それはつまり、「現実的で意味のある提案」よりも「いかにかっこよく〝敵側の邪悪なあいつら〟をこき下ろすことができるか」という基準でみんなが必死に中身のない意見を放言しまくるからです。

一方で、先ほどの「M字分断」の図10に対して、「理想はこうあってほしいよね」というのがその下の「凸字」の図11です。

真ん中に安定した「凸」になっている部分があって、「立場は違えど現実的にはこの範囲だよね」という共有感覚が安定しているので、どちらの側も「弱み」までもちゃんと見せ合いつつ意見を持ち寄り、具体的な対策を練り上げていくことができます。

かといって「異端的な意見」が排除されているわけではなく、両端に「シグナルとしての異端者」と呼ぶべきゾーンで一度「ある程度共有しやすい盛り上がり」が存在します。

大事なのは、
・「真ん中の凸」部分に参加している「保守寄り」の人は、「右のシグナルとしての異端者」たちに心理的共感は一応持っていて動向をフォローしている……という「地続き」の人間関係を維持すること
・「真ん中の凸」部分に参加している「改革派寄り」の人は、「左のシグナルとしての

異端者」たちに心理的共感は一応持っていて動向をフォローしている……という「地続き」の人間関係を維持すること
です。

「モンスター化する極論的理想家」を「シグナルとしての異端者」の位置で受け入れる

先ほどまでに述べてきた「モンスター化する極論的理想家」を、この「シグナルとしての異端者」の領域で自由にしてもらい、ある程度社会の主流派がうまくその意見と付かず離れずに接しておくことが、社会全体の「メタ正義体質化」のために大事な「知恵」の部分です。

異端者が考えることは人類社会にとって非常に重要なヒントになり得ることです。が、異端者は社会の実情がよく分からないからこそ異端者なので、そのままでは全く具現化できない無理筋の意見になっていることもよくあります。

だから「異端者」が考えることを取り入れるには「主流派との距離感」が適切に調整されている必要があります。

先ほどまでに述べた例で言えば、「日本政府のコロナ対策の全部逆を放言することで政府批判派のアイドルになった医師」が、まさにこの「シグナルとしての異端者」に当たるでしょう。

「凸」部分が安定的に共有できているほど、「異端者」の意見をヒントとしてどんどん取り入れてブラッシュアップしていくこともスムーズにできるようになる。

「凸」部分が安定的でなく、すぐに「M字」に分断されていってしまう危機にさらされていると、社会が現実性を維持するために「異端者」を抑圧せざるを得なくなる。

逆に言うと、「異端者」さんも「俺は社会に理解されないけど真実を知ってる人間だぜ！」的に気楽に信者さんたち相手に放言しまくっているうちが花であって、自分の意見が国全体、社会全体に強烈に共有されて現実的責任を負うことになってしまうと、ちょっと彼ら本人も困ってしまうことが多いでしょう。

「無責任に放言する限りにおいて真実の一端を捉えることができる才能」を持つ「シグ

ナルとしての異端者」の人たちを、「適切な距離感」で社会が活かしていくことが、この「凸型のグラフ」では可能になります。

では、この「凸型」状態に日本を持っていくには、どうすればいいのでしょうか?

実は、「M字分断」化された社会から「凸字型」への移行において、「陰謀論の蔓延」は産みの苦しみとしての意味があります。

それこそが先ほど「逆に考えるんだ『あげちゃってもいいさ』と考えるんだ」……というセリフを引用した「深い知恵」の部分なのです。

「モンスター化」したいなら「モンスター化」させてやればいい。しかしその「結果」は自業自得として引き受けてもらうことで、〝情勢全体〟が大きく変化してくる。つまり、「モンスター化」すればするほど信者さんに取り囲まれて非妥協的な叩き合いに熱中するようになるので、社会全体で見ると「モンスター言論」が「シグナルとしての異端者」のゾーンに勝手に追い込まれていくことになる。

そして、**あまりに非妥協的になっていく「モンスター言論」に付いていけない中道派が、「真ん中」に押し込まれて集まってくるようになります。**

「右か左か」ではなく「まともかどうか」が対立軸になる

もう一度先ほどの「M字分断」の図と「凸字型」の図を見比べてください。どうすればM字型から凸型への移行が可能になるでしょうか？　その過程が、左の図12と図13です。

まずこの「M字」の図を見ていると、「原爆解」「ホロコースト解」に今は集まってしまっているそれぞれの人たちが「分裂」する……。その分解した「それぞれ」の半分が「中央に集まる」組と、両端で「シグナルとしての異端者」に分かれることで、「凸字型の安定」に変化していくのではないか？　というイメージが湧いてきます。何度か図を眺めながら、「M」にある2つの凸が分裂して「真ん中」と「両端」に分かれるイメージをさらに図形的に思い描いてみてください。

この2つの図をイメージしながら最近の色々なことを思い出してみましょう。

「M字の2つの凸」の内部で、「内部抗争」が増えてきていませんか？

「右の凸」の中では、「いまだにアメリカ大統領選挙の陰謀論を真剣に論じる人たち」

図12

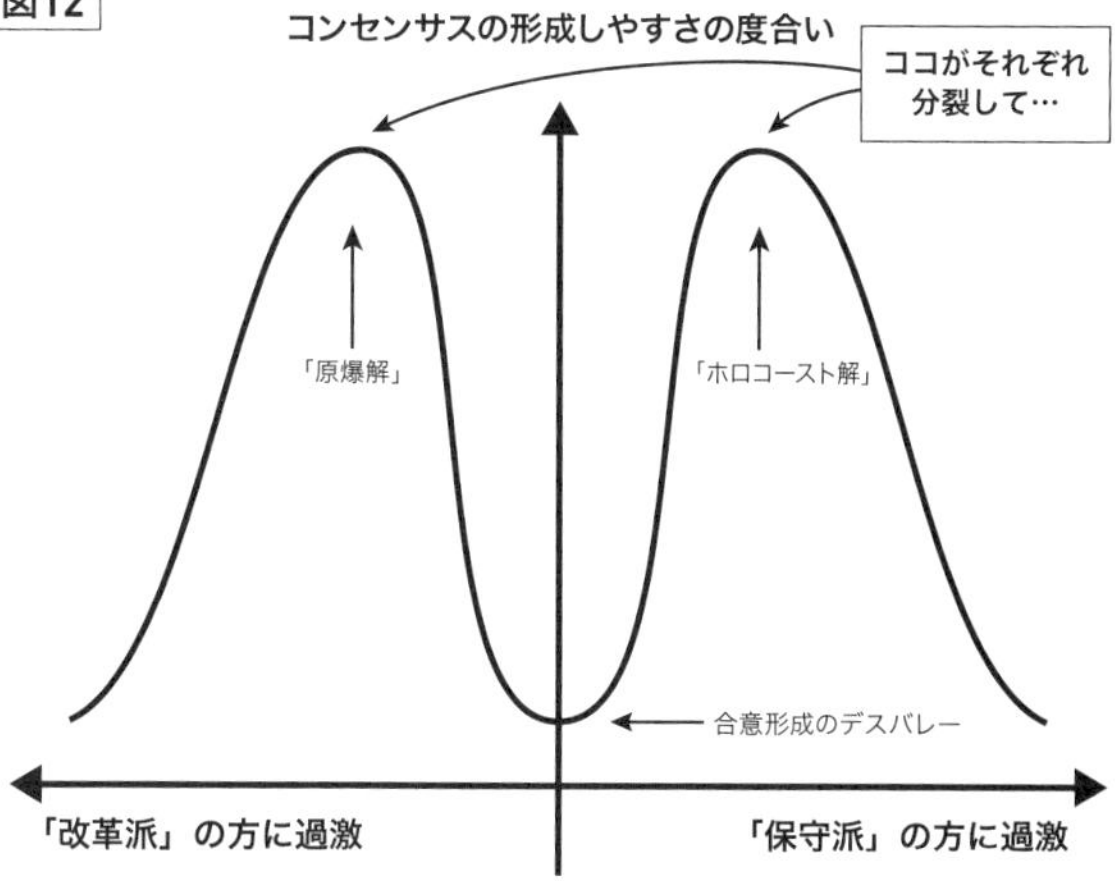

図13

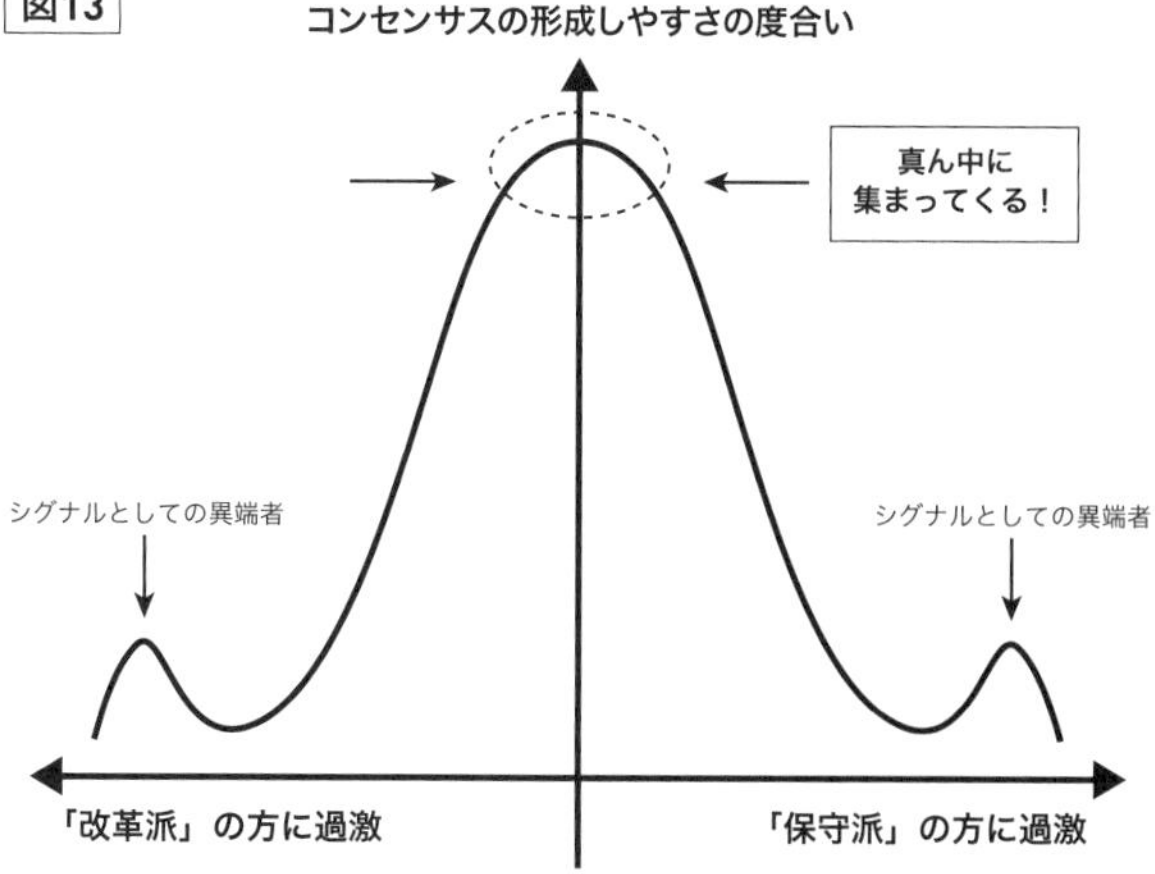

『日本がアメリカに勝つ方法』（倉本圭造／晶文社）より

と「それにはさすがに付いていけない」という層の分断と罵り合いがかなり激しくなってきていると聞きました。

「左の凸」の中の内部抗争は多種多様ですが、例えば、「自民党政権がやることなすことには全部反対して逆を主張するのが自分の使命」みたいな人たちと、「専門家会議や医療関係者が言っていることにまずはちゃんと耳を傾けて、その上で判断しよう」という人たちとの間の分断は結構チラホラ見るようになってきました。

結果として、「政府と一緒に働いている専門家」を一緒くたに「ケガレた存在」として「御用学者」と切り捨てるような思考停止には付いていけない……という層が、「M字の左の凸」の内部の分断を徐々に生みつつあるでしょう。

2014年ぐらいにこの図を使った本を出版した頃から、私は「いずれそうなるから辛抱しよう」と言い続けてきたわけですが、やっとその入り口ぐらいまで来ているのではないかとほっとしています。

読者のあなたが先ほどの2つの図の「どこ」にいる人なのか分かりませんが、「M字分断の2つの凸」の内部にいるなあ、と感じているのであれば、積極的にバンバン「内輪もめ」の火に油を注いでいきましょう。そうすると、「M字のそれぞれの2つの凸」の内部抗争が激しくなってきて不安定化し、ちょっとした刺激で「1つの凸」への移行するチャンスが見えてきます。

「俺は根っからの保守派だ！　リベラルなんて大嫌いだね！　しかしいまだにトランプが勝ったと思っているような人たちとはちょっと一緒にやっていけねえぜ」

となった時に、ふと隣を見ると、

「私はリベラルな人間です。人類の良識と普遍的精神を信じています。しかし、当局がやることなすこと全てに反対することが自己目的化しちゃって、普通に考えてマトモな政策ですら『この御用学者！』『あの悪魔の自民党政権の政策を支持するのか！』とか糾弾し始める人たちとは最近非常に心理的距離を感じるようになってきました」

という人がいて、お互いに気づくことができれば「あれ？　実は俺たち話が合うんじゃ…？？」といった発見に繋がるはずです。

2021年10月の衆議院総選挙が持つ意味

実際、日本の政治は明らかに「そういう方向」に向かっています。

2021年10月の衆議院総選挙で、起死回生を期待された共産党との野党共闘虚しく議席数を減らした最大野党の立憲民主党がその後の代表選挙で、「対案も何もなく、なんでも反対しかしない野党と思われてはいけない」と事あるごとに言うようになったことは大変な進歩だと言えるでしょう。

そのことに不満を持つ「伝統的な左翼」の人たちもいるでしょうし、読者のあなたもそういう気分の人かもしれませんが、そういう人たちは全力でSNSやマスコミを通じて「政府を批判すること自体が大事なことなのだ！」という声を上げていただければと思います。

その「発言」が本当に日本社会の実情を正確に理解する努力の上でなされるなら、その意見は無視できないものとして残るでしょう。

しかし単に「出羽守バイアス」的な妄想の中で「絶対善の俺たちvs絶対悪の自民党政

府」という神話に耽溺することが目的なら、日本社会の方がそれに付き合い続ける義理もありません。

繰り返すようですが、「個々人の行動の自由を縛る」ような要素が入ってしまっては、その政治を続けるには延々とヒートアップしてさらに個人の自由を縛らなくてはいけなくなって、自由主義社会においてはどこかで前に進めなくなります。

しかし、「完全な個人の自由」を保障した上で、それでもただただ内輪の妄想に耽溺して世の中を呪詛する集団が、自業自得にその社会への影響力を失っていくのであれば、それは「歴史の必然」として揺るぎない流れとなって進行することになるでしょう。

日本社会は今、「完全な個人の自由」を保障した状態のままで、「極論を言う人」を「シグナルとしての異端者」の領域に追い込むことに成功しつつあります。

彼らがちゃんと「妄想ではなく日本社会のリアルと向き合って具体的な改善提案をする役割」に集中するようになるのか、それとも内輪のＳＮＳや左派メディアの中だけでお互いを褒め合う妄想の中で自滅していくのか、それは彼らが自由に選択する未来にかかっています。

そうやって「左の陰謀論」を「シグナルとしての異端者」のゾーンにさらに追い込んでいくことができれば、昨今の日本でよく批判されがちな「過剰な右傾化」的な要素も「防波堤としての暴論」の役割を終えて、落ち着かせることが可能になるでしょう。

要するに、「現行の政治が持っている不具合がどこにあるのかをちゃんと考えて改善提案する」という役割から逃げて、「絶対善の俺たちと絶対悪のあいつら」論法に耽溺しすぎると、結局票が逃げてしまうという構造になることで、「全部世の中のせい」的な他責志向のモンスター的なムーブメントがある一定の範囲以上に広がらないビルトインスタビライザー（安定化装置）が働き始めている、と言えます。

少し辛辣すぎるように思うかもしれませんが、こういう構造になることは、「左派野党にも実はいる実務的能力が高い議員」にちゃんと活躍の場を与えるという大事な意味があります。

私は「文通」の仕事で、ある野党国会議員と繋がっていた時期があって、その議員氏は色々な政策の細部の具体感について深い知識と責任感がある人で、私が持っていた「野党議員のイメージ」とは全然違っていてびっくりしてしまいました。

「華麗に政府批判をしてみせる爽快感だけが売り」みたいな政治家から、ちゃんと「日本で今起きている問題が何なのか」を真剣に考えて具体的な政策に落とし込める政治家に主役交代していってもらうことは、日本政治の「健全化」において非常に重要なプロセスになるでしょう。

「左の陰謀論」とも「右の陰謀論」とも距離を置こう

一方で、そうやって「左の陰謀論」が追い込まれていくと同時に、「アメリカ的なエリートがトップダウンに主導」する力も弱まってきてしまっています。

菅義偉前首相が「ワクチン1日100万回」などとブチ上げた時には、マスコミも野党も「根拠がない」「適当なことを言うな」などとむちゃくちゃに批判していましたが、実際には世界一レベルのスピードで接種数を追い上げて、その後感染状況は安定しました。

私は菅前首相のことが結構好きで、確かに国民にテレビで語りかけるのは下手でも、実際にやるべき政策をゴリゴリと進める力はすごくある人だったと思っています。だから菅氏のことを、「権力にしがみつくしか興味がない人間」などと、実態と違いすぎることを言って批判する人たちに毎回怒りを感じていました。

そういう「必殺仕事人スガ」が強引すぎると言って辞めさせた以上、後任の岸田首相の政治が多少グダグダに見えても、我々はそれを甘受しなくてはいけないところがあるでしょう。

しかし、岸田氏になったことで、「どの勢力も無理やりには押し切れなくなった」ことは、単にグダグダになる可能性も十分ありますが、結局「ちゃんとメタ正義的な機運づくりをしないと何も動かないのだ」という状況に追い込まれるということでもあります。「左の陰謀論」とも「右の陰謀論」とも距離を置いて、第二章で触れた「竹中平蔵型の市場原理主義」からも距離を置いて、どこにも「単体で押し切れる存在がいなくなった」状況を、私たちがこれからどう「活用」できるかが問われているのだと理解しましょう。

要するに、「アメリカ型にトップダウンで強引にやる」ことがどんどんできなくなっていくからこそ、国全体の「メタ正義感覚」が直接問われるようになってきている、とも言えるのです。

「日本という沼」の力を活かす道

つまり、今の日本の政治状況は「メタ正義的な働きかけ」以外の「ベタなレベル」の意見を全て跳ね返す関門のようになっていて、特定の勢力が一方向的にゴリ押ししようとしても、全てナアナアの日本的曖昧さに絡め取られてしまう状況にあると言えます。

それは単にグダグダの無方向的な漂流状態になる可能性も十分ありますが、一方で今までにはない「本当の対話」でなんとなくスルスルと改善が進むようになる可能性もある。

製造業の工夫の一つとして、「間違った場所に組み付けようとしてもハマらないような設計にする」ことでミスを防ぐ……という方法があります。

あるいは「武道の型稽古」を考えてみると、「本質的に正しい体の使い方をしないとむしろ窮屈に感じるような動き」を練習することで、今までの日常的な悪いクセから脱却してより良い体の動かし方を自己発見できるようになっている。

それらと同じように、「メタ正義的な働きかけ」以外を受け付けない沼のような状況に自ら飛び込んだ形になった日本は、その閉塞感とちゃんと向き合うことができれば、「その先の世界」を見ることができるようになるはずです。

第一章で書いた私のクライアントの話のように、「本当に大きな変化」というのは、実際に内側で体験してみれば「怒鳴り合いのドラマ」とか「あの決断こそが真実の決定的瞬間だった！」というような大げさな状況もなく、何気なく静かに進んでいくものである可能性が高いです。

それは一部のエリートが「ぶっ壊す！」式に引っ張り回そうとする無理を全て日本という「沼」に飲み込んでしまった先にある、「鍛えられたメタ正義感覚の練度」だけでスルスルと常に形を変えて変わっていく巨大で不定形な謎の生き物のような進化となるでしょう。

『ジョジョの奇妙な冒険』のセリフのように言うならこうです。

「『なるようにしかならない』という力には無理に逆らったりするな……『メタ正義感覚に目覚める』ということはそれさえも味方にするということだからだ」

この章のまとめ

■コロナ禍の議論をおかしくしたのは「欧米出羽守」と「反権力病」の人々。現状を踏まえない批判をされると「防波堤としての暴論」を持ち出すしかなくなる。

■時に政府批判の文脈で陰謀論も飛び出すが、議論全体の良い方向の変化のために陰謀論が出てくるのは「必然」ではある。

■大事なのは、そうした陰謀論は仲間内でやってもらい、「意見は違うがまともな議論をしたい」人たちの集まりが可視化されること。

■現実の政治の方向は既にそちらへ向かいつつある。

第四章

日本が歩む、再生の道

今後の人類社会における日本の役割

第三章で見てきたように、「『極論を言う人』の自由をいかに一切縛らずに好き放題に生きてもらいつつ、そしてその意見の有益な部分だけは取り上げつつ、彼らに社会の現実的安定性を破壊させずに具体的な改善提案として取り込んで行くのか？」というのが、「社会全体のメタ正義体質化」のための重要なポイントです。

「モンスター化する論客さん」たちの自業自得の自滅効果をうまく利用することで、彼らを「シグナルとしての異端者」の場所で受け止めることができるようになる。

そうすれば、社会全体が完全に「M字」に分断されてしまって延々と罵り合いだけが続くことを避けて、常に具体的な改善提案だけを次々と取り上げて変わっていける社会になるでしょう。

まさにこれは、世界的に見ても「日本が果たすべき貢献」のコアの部分そのものです。

昨今の欧米社会内の流行が「全部〝占い社会のあいつらのせい〟にして炎上する」傾向が、余計に「防波堤としての暴論」としての、中国やアフガンの強権政府や、エコ系の対策へのバックラッシュに繋がっている現実があるからです。

例えば「自分たち以外を大上段から批判しまくることのプロフェッショナル」でいらっしゃるドイツのフォルクスワーゲン。エコを掲げ、電気自動車に全振りしたはいいものの、結局値段が下がらないので、全体としてみたらほんのちょっとしか売れず、「CAFE規制（平均二酸化炭素排出量規制）」で毎年莫大な罰金を払わされている現状があります。

そしてその横で、「とりあえずの最善案のハイブリッド」を世界中で売りまくっているトヨタだけが余裕で規制をクリアしている、という現実があります。

実際の普及率や電池に使われるリチウムなどの資源問題を勘案して、「とりあえず70点取る仕組み」を用意し、実際に発売車両の圧倒的な平均燃費を実現しているトヨタには、トヨタなりの環境問題に対する責任感が感じられます。

しかしこれをメチャクチャに敵視して「時代遅れのクズ」同然の批判をする文化が欧米にはあり、これが本当に人間社会を気候変動対策に対応させるために良いことなのか、真剣に問い直されるべき時に来ています。

気候変動関連業界のアイドル的存在である少女グレタ・トゥーンベリさんの「How dare you!（よくもそんなことが言えるな）」という有名な決めゼリフがありますが、昨今の「トヨタ的な責任感」を果たす存在に対する悪口雑言は、まさに「How dare you!」と言い返されるべき不誠実さが含まれていると言っていいでしょう。

「先鋭化した理想」に「減速ギア」を入れることが必要

日本が地道に磨き上げてきた「高効率石炭火力発電」を敵視しすぎないことが人類全体として大事なんだ、というのも同じ課題で、だからこそ「70点取るための仕組み」を否定せずに、それらと「個人主義者の理想家」が手を結ぶ仕組みを作ることは、人類社会全体の最前線の課題となっています。

「最も先鋭的な理想家」からすれば、「完全に理想化したビジョンを、地球全体で一気に導入しないと間に合わないんだ」という感覚があるのだとは思います。が、結果として欧米の国ですら全然付いて来られない人があふれているビジョンを、人類全体に押し売りするなんて無理がありすぎる話です。

人類社会全体を見れば、国ごとに適切な自然エネルギー源も違うし、経済的にも色々な事情がそれぞれにある。いかに「それぞれの立場」を理解した上で巻き込んでいくかが重要な時に、欧州のビジネス的野心によって非常に限られた方式以外を排除するような動きを見せたら話がまとまるわけがない。

逆に最初は不十分でも、とりあえず巻き込める人数と経済圏が増えさえすれば、いずれ加速がついていきて達成可能なことが増えていくでしょう。

例えばまずはグレー水素・グレーアンモニア（化石燃料から人工的に作った水素やアンモニアによる火力発電）の仕組みができれば、あとからそのインフラをグリーン水素・グリーンアンモニア（自然エネルギーによって生成された水素やアンモニアによる発電）に転換していくことも可能になる。

今みたいに人類のほんの上澄みしか参加できない理想を押し売りしようとしたら全拒否されて当然ですが、その「先鋭化しすぎた理想」に「減速ギア」をかませて、「みんな」と繋ぐことができれば、そこから先「本当の衆知」を吸い上げて加速していくことも可能になる。

そのために、「トヨタ的に70点ちゃんと取ってくれる人」は「純粋な理想家」にとって実はすごく大事なパートナーであるはずです。にもかかわらずそこを排除すれば、「もっと容赦なく完全に気候変動への対処そのものを否定する」ようなアメリカの一部の運動みたいなものに強烈に席巻されてしまうことになります。

こうした「全否定してくるムーブメント」に飲み込まれないためにも「トヨタ的な存在」は「理想主義」にとって、決して切ってはいけない大事なパートナーなのです。

分断を超えてエコ系の対策を日本でも進めるには

昨今の日本は、コロナ問題で見たように、「自己目的化した反権力」vs「防波堤としての暴論」の仁義なき永久戦争の声が、このエコ系の課題でも大きく鳴り響いている現状があります。そのため、実態と全然違う完璧に理想化されたドイツなどの事例を持ってきて「日本政府は全然ダメ！」と吠える人たちと、その現実無視な理想論からとりあえずの安定を維持するために過剰に保守的な見積もりに引きこもってしまう政府側、という幸薄い罵り合いが続いています。

結果として起きている問題は2つあります。

1つは、2020年も2021年も冬にあわや大停電というレベルでエネルギー問題が混乱しているのに、世間では誰も知らず、誰も責任を取ろうとしないので、結果として東電のような古い大企業に尻拭いをさせることになっている問題。

そしてもう一つは、そういう混乱になればなるほど、「エコ系の課題」が全て「頭がオカシイ意識高い系の妄想」みたいな扱いになってしまって、本来大きな可能性がある自然エネルギーの検討自体にマイナスイメージが付いてしまっていることです。

「長期的に見たときの理想」と「短期的に見たときの現実性」は当然ながらどちらも大事です。

しかし日本においては「長期的理想」を掲げる人が短期的現実性をバカにしていることが多く、自らの理想に対する潔癖性から、原発の再稼働も含めて「短期的な現実性」を大事にする人が重視する施策にことごとく反対して潰そうとします。そのため、反撃を受けて逆に「理想そのもの」まで巻き添えに否定されてしまいがちになる。

しかし、長期的に見れば自然エネルギーの可能性は実はかなり大きい。特に日本は海の部分の国土（排他的経済水域）が約447万平方キロと陸地の12倍もあって、世界第6位の広さがあります。今後、洋上の浮体式風力のような方式のコストが下がってくれば、巨大な砂漠に太陽光発電パネルを並べられる国はいいなあ、とうらやましく思っていたような世界が日本でも実現することになるかもしれません。

何より自然エネルギーはそのコストのほとんどが固定費なので、今後コストが下がればいっそ「かけ流し」型に大量に作っておいて、水素生成に使ったり仮想通貨のマイニングに使ったりといった「全く新しい世界」が広がる可能性が出てくる。私の「文通」の仕事で繋がっているクライアントにもそういう分野のチャレンジをしている人がいます。

そうなるとあらゆる産業構造ごと変わってしまうほどのインパクトになるので、初めからバカにしてその可能性に少しも賭けていない状況になるのは非常にまずい。

だから「超長期的な理想像」で言うと非常に大きな可能性があるのですが、しかしこれは「アレもコレもソレも想定通りに成功したら」という限定条件付きであることは確か。だからこそ、「その理想に向かいたい」のならば、「もしそれがダメだったとしても破綻しないプラン」を準備しておく必要がある。

しかし現在の日本の理想家は、理想を重視するあまり、「ダメだった時用のプラン」を考えてくれるはずの存在を敵視し攻撃してしまいがちです。

本当は、「理想を追うこと」をちゃんと社会全体で揺るぎなく行うためにこそ、「短期的現実性」を重視する人たちをバカにせず、敬意を払って「お互いの良さを引き出す」ような関係を築いていく「メタ正義」的なやり方が必要なはずです。

「乳化剤としての日本」の出番

この話を、ここまで述べてきた「水の世界と油の世界」の話でイメージしてみましょう。

人類社会の最も恵まれた特権階級である欧米社会の、さらに上澄みの層だけが、「水の世界」の価値観を持っていて、世界各地の「油の世界の事情」を一切勘案せずに自分たちだけで完全に純粋化した理想を振り回して「どうして動いてくれないんだ！」と孤独感を募らせてさらに先鋭的な態度を取るようになってしまう。

「水の世界」の見方だけを絶対化すればするほど、「油の世界」を逆の方向に押し込んでしまうことになる。完全に「水と油」が分離して相互憎悪が募っていけば、「水の世界の理想」は決して実現できないでしょう。

大事なのは、「水と油」を対等な存在として扱い、それぞれの持つ「正義」をどちらも否定せず、「メタ正義」的なレベルですり合わせていくことです。

そのためには、「水と油」を乳化剤で混ぜ合わせ、マヨネーズ状態に転換する役割を果たす存在が必要になる。**「東洋と西洋のハザマ」で生き抜いてきた日本が果たすべき役割**はここにあります。

本書で何度か触れたように、現代日本で経済的に恵まれた家庭に育って、良い大学に入って良い企業に勤めて……というような生活をしていると、「油の世界の機能」というのもあまり理解できなくなりがちです。ともすれば、何もかも一緒くたに「日本の後進性」の元凶であるかのように思ってしまいやすい。

しかし例えば、日本の製造業の「現場の知性」に間近でちゃんと触れてみれば、そこには「水の世界」で生きているインテリの想像を超えるすごさがやはりあります。

私のクライアントの話は守秘義務的にできないので、公開されているトヨタの話をします。「トヨタイムズ」という自社メディアに掲載された「医療用防護ガウンを〝1日でも早く、1枚でも多く〟（生産工程改善の現場を取材）」という記事によると、コロナ禍で急遽医療用ガウンを製造することになった雨合羽メーカーに、トヨタの生産技術者が指導に行って一緒に製造工程を見直した結果、「1日500着が限度だったのが、なんと1日5万着も作れるようになった‼」というのです。

生産量100倍。あまりにすごい。

そもそもクルマ以外の生産に関わったことが今までほとんどなかったはずなのに、なぜこんなことができるのか。これはほとんど「マジカル」なレベルの知性であり、世界中どこに行っても引く手あまたの超優秀人材と言っていいと思います。

ただ、似た感じの私のクライアント企業の社員の例を考えてみると、このトヨタの生産技術者の人は、大卒ではない可能性もあります。高卒だったり、高専卒だったりするかもしれない。

これは、欧米では見落とされがちな「知性」です。

13歳で飛び級で大学を出て物理学の論文を書く能力も「知性」ですが、今まで扱ったことがない分野の製造現場にフラッと行って生産量を100倍にできる能力も「知性」です。この2つを「同等に尊重」できるのが本来的な社会のあるべき姿です。

しかし欧米的な社会システムは、「知性」という言葉の通用範囲が狭すぎるというか、「13歳で物理の論文」だけが「知性」であり、「知らない分野でも生産量を100倍にできる」の方は「知性」に値しない扱いになってしまいがちです。

この点は、「白熱教室」で有名なハーバード大学教授マイケル・サンデルの最近のベストセラー『実力も運のうち 能力主義は正義か？』（早川書房）においても厳しく批判されています。欧米エリートはアカデミズム（学問界）の内側にしか「知性」がないと思っており、現場的なスキルを磨く機会に投資する額が少なすぎる。これがアメリカ社会の大問題だと指摘しています。

そういう「アカデミズムの内側だけを重視する」社会のあり方が、現場作業的な役割をこなす層の貧困を固定化しているだけでなく、彼らの自己重要感を不当に奪う結果になり、社会を不安定化させている。この指摘は、サンデルというアメリカの有名大学教授の言葉だと考えると余計に重いものがあると感じました。

また、そこにこそ、「欧米社会が抱えている歪み」があって、そこにあまりに無自覚なまま欧米的理想だけを人類社会全体にゴリ押ししようとするから、世界中で「防波堤としての暴論」のバックラッシュを受けているのだという実感が私にはあります。

ＡＩ時代だからこそ必要になる「現場的な知」の形

欧米社会ではＡＩ（人工知能）が浸透すると「こういう現場的な作業能力は一切必要なくなってしまう」という悲観的な予測が多い。ただ、製造業のクライアントを見ていると、個人的には「そう簡単な話じゃないな」と感じることばかりです。

確かに、「一つの部品を次々と手作業で組み付ける能力」自体は不要になるかもしれないけど、「生産量を100倍に工夫する能力」はむしろもっと必要になります。

例えば、「3Dプリンタが進歩すれば工場作業員なんていらなくなる」という指摘もあります。しかしコスト面などを考えても、本当に大事なのは「日進月歩のプリンタ技術をちゃんと見極めて、それの適切な使い方をする判断力」の方だなと私は思っています。

ネットニュースでよく流れる「3Dプリンタでコレを作りました！　すごい時代ですね！」というトーンの記事も、よく読むと結局3Dプリンタでは作りやすい部分だけ作っていて、残りは人手で完成させていたりします。

だからこそ、「新しくできた製造技術をどう活用して、どの工程に使うのか」の判断が、製造技術が日進月歩だからこそ実地に常にものすごく必要とされ続けるのです。

「この時間とコストなら、まあまだ今までのこのやり方の方がいいよね」

「お、ここまで進歩したのなら、この工程に取り入れたら全体としてコストも必要時間も下がるな」

こういう判断力は最後まで必要とされるので、結局「アカデミズムとは違うタイプの現場の知」の存在を活かす分野は、少なくともドラえもん級に自分で何でも考えて動けるロボット（ＡＩ）ができるまでは残り続けるはずです。

今の欧米由来の社会構造は、そういう「現場レベルでの工夫の余地」まで、「非常に大ざっぱなレベルの科学知」が押しつぶしてしまっているのではないか……というのは私の中で常に問題意識としてあります。

日本に住んでいるインテリさんの中には、アメリカのように社会が自分たちに「神様みたいな絶大な権力」を与えてくれないのを不満に思っていて、こういう「現場の知性」みたいな話が大嫌いな人が結構います。

確かに、実際に日本で言われているこういう「現場礼賛」的な言説のかなりの部分は、単なる無内容な昭和の懐古主義的なものであることが多いのも難しい問題だと思います。

しかし、ＡＩ活用事例とか、ビッグデータ的なシステム活用にしても、日本において本当にグローバル規模で「他にない成果」を出しているのは、「現場知」と「学問レベルの知」がちゃんと手を携えた時なのではないでしょうか。

例えば日本企業における「ＩＴ」活用事例として一番有名なのは機械メーカー大手のコマツです。コマツでは世界中の自社重機の稼働状況を常にモニターしていて、故障を事前に予知するだけでなく、稼働状況ビッグデータを集めて世界中の景気変化まで指数化してしまうコムトラックスというシステムを持っています。

こうしたシステムをＩｏＴ（モノのインターネット）とかビッグデータとかいう言葉もない時代から着々と整備できていたのは、「限られたインテリの範囲内だけで閉じていない知性の連動」があったからこそでしょう。

結局今も世界と戦えているのは、「日本って遅れてるよねえ。もうほんと絶望だ！」とツイッターで毎日つぶやくのにお忙しいタイプ**「ではない人たち」**の地道な活躍があるから、なのです。

日本の閉鎖性や後進性から脱却する唯一の方法は？

逆に言えば、「油の世界」がもたらす「現場知」が本当に大事な部分をキチンと場合分けして適切に引き上げる力を「水の世界」に生きる日本のインテリさんたちが持てるようになれば、サクサクと「グローバルな合理性」で切ってしまえばいい部分でもグズグズと揉め続ける必要はなくなります。また、「現場知」を旗印にするようなタイプの人が持ちがちな「昭和のプロジェクトX型の精神論」から日本が脱却することも初めて可能になるでしょう。

過去20年の人類社会の「水の価値観だけを絶対化する風潮」から自分たちのコアを守るために、日本はある程度内向きで閉鎖的にならざるを得ない状況が続いてきました。

しかし、人類社会全体が「水の価値観だけの絶対化の限界」にぶち当たり、米中冷戦も始まって「油の世界からの逆襲」との押し合いへし合いの状況になってきた今、その「両者」の価値をメタ正義的に取り入れてマヨネーズを作っていく存在として日本の価値を世界に売り込める情勢にやっとなってきました。

そうやって「人類社会の最前線の課題」と関わらせた形で「自分たちのコアの価値」の旗印を掲げられるようになれば、やっと日本は閉鎖的に引きこもり続ける必要がなくなって、価値観的にも、経済的にも「開かれた」人類社会全体との関わりを持っていけるようになるでしょう。

極端な言い方をすれば、「日本の後進性・閉鎖性」に見えるあらゆる問題の背後には、

「欧米の理想が持つ歪み」が表裏一体にセットで存在しているのだ……というような見方をあえてしてみることが必要です。

そして、「日本が閉鎖的に自分たちのコアを守らざるを得なくなっている真因」に立ち向かうとき、そこには米中冷戦時代の人類社会にとって大事なブレイクスルーを生み出すヒントが隠れているのだと考えてみましょう。

「欧米型の理想の絶対化」が生み出す分断を超えるために

本書では「メタ正義的解決」の例として、私の専門もあって「経済・経営分野」の話を多く扱いました。しかし、エコやジェンダーや差別問題といった社会問題の分野についても同じ課題があります。

最近A・R・ホックシールドというアメリカのフェミニスト系女性社会学者が書いた『壁の向こうの住人たち』（岩波書店）を読んだのですが、これはよく言われている「分断を超える対話が必要だ」を大マジメにやろうとして、カリフォルニア大学バークレー校（非常に左派的な校風で知られる）の学者さんがアメリカ南部に何度も通って共和党（ティーパーティ）支持者と実際に友達になり、彼・彼女らの思いや憤りを精緻に言語化する、という内容です。

「後のトランプ支持者の心情を理解する上で重要な1冊だ」と評価されるなど、非常に面白い本でした。

　こういう「対話」を本気でやってしまう人がたまに欧米の進歩主義者にはいて、そこはとても尊敬できます。ただホックシールド氏に感銘を受けるからこそ、本の中で語られる「分断」は痛ましいほどで、「ここまで相互憎悪が募ってしまったらこの先本当にどうしようもないんじゃないか」と暗澹《あんたん》たる気持ちになる本でもありました。

　昨今の欧米のリベラル派のやり方のように、「付いてこないタイプの人たち」を声高に断罪しまくっていたら、アメリカ国内で数千万のトランプ派が「リベラルの理想の全部逆をやってやる！」と息巻くようになっています。さらには中国や、アフガンのように欧米的理想を真っ向から全否定する例もどんどん出てくると、「実際にそのリベラル派の理想の下で生きられる人の数」はさらに減っていくことになってしまいます。

「欧米的理想を全否定・拒絶するムーブメント」に席巻されないようにするためにこそ、「リベラル派の理想」を提示していくに当たって、それぞれのローカル社会の伝統や人々の気質にちゃんと配慮して溶け合わせていく作業が今後もっと必要になってくることは明らかです。

地道な改善を行う人々に敬意を払おう

私のクライアントの中小企業でも、例えば女性活躍を本当に進めようと思えば、「社員食堂のメニューに女性向けのものを用意する」といったほんとにレベルでの細かい施策の積み上げが大量に必要です。また、そういう具体的な積み上げをする上で最も重要なのは、「男性社員側の不公平感」が出てこないような配慮を相当に丁寧にすることに尽きます。

それには今のリベラル派のような「糾弾と断罪」のメンタリティとは全く違うタイプの作業が無数に必要です。

「アメリカじゃそんなことしなくても**全部古い社会が悪い**ってことにできているのに！」と思うかもしれません。が、そういうやり方の結果として国全体が真っ二つに割れて議会議事堂が武力占拠される事態にまでなっているのに、同じことを日本でやれないのは日本人が閉鎖的で人権意識のないクズどもの集まりだからだ……などと言われても、困ってしまうのが正直なところです。

しかも、世界最強国家アメリカならそこまで分断されて混乱しても、まだなんとかギリギリやっていけていますが、世界中の「普通の国」は国力的にそんな混乱には耐えられません。

欧米社会が推奨する理想のセットをまるまる受け入れると、結果としてアメリカみたいな混乱になります……ということならば、「そんな欠陥品はウチは結構です」という国が出てくるのも当然だと言えます。

先ほども述べたエコ系の課題にしても、欧米（特にヨーロッパ）が声高な理想の影に自分たちのビジネス的野心を潜ませつつゴリ押しして、付いてこない人を侮辱するようなことを言いまくっているからこそ、余計に進展しなくなる情勢になりつつあるのではないでしょうか。

「先鋭的な理想への反応が鈍いとされる人こそが持っていたりする、現実への目配り力」をいかにうまく取り込めるかが、さらにエコ系への対策を「人類の1割でしかない特権階級の欧米社会」の外側にある「人類社会全体レベル」にまで普及させるために重要な次の課題となるでしょう。

だからこそ、「アメリカのトランプ派のような分断」が起きる〝手前の段階〟で、「同じ場所」にどちらの派閥も繋ぎ留めた上で、対話によって変えていける文化こそが、人類社会のどこかには必要です。

「それ」を誰かが立ち上げなくては、もう民主主義なんて面倒くさい制度はいらない、マトモに社会運営できないから……という方向に一気に流れてもおかしくない瀬戸際の状況に、今の人類社会は陥っていることを自覚する必要があるのです。

銅像を引き倒し、国旗に背を向けるやり方は必要なのか

欧米には欧米のやり方っていうのがあるでしょうから、彼ら的には文化としてそうせざるを得ない必然性があるのかもしれません。が、個人的には最近の欧米社会の「改革派」の人たちの流行としての、国旗を邪険に扱ってみせたり、現代の価値観で問題がある行動をしていたとされる人物の銅像を引き倒したり……といった行為には明確に反対です。

そういうことをし始めると、「それを大事に思っていた人たち」との間の共通了解を立て直すのがものすごく難しくなってしまうからです。

むしろそういう「象徴的存在」を温存する姿勢を見せることが、保守派の協力も取り付けて「具体的な細部のこと」を詰めていく作業を急激にスムーズにする効果を持つことが多い。

最近の欧米の進歩派の流行では、そこで「一切配慮をせずに全部敵側が悪いという価値観に没入することこそが正しいのだ。なぜならそこでちょっとでも妥協することは、

邪悪な差別主義者の味方をすることになるからだ！」的な理論化がどんどん行われるようになっていて、それを真に受けた日本国内の進歩派の人たちも、「その社会が積み重ねてきた伝統への敬意を払いながら、一緒になって具体的な改善を積み重ねる」のではなく、ＳＮＳで果てしなく社会に文句を言い続けることに集中するようになってしまっています。

しかし、いくら欧米の進歩派が「自分たちの敵こそが全部悪い」という理論を先鋭化させていこうと、現実としてアメリカでは数千万人のトランプ派がどんどん意固地になって「全く逆のことをやってやろう」「進歩派の言うことには全部反対してやろう」という方向に進んでいるし、「人口で１割程度しかいない欧米社会」の外側まで考えた「全人類社会」の視点で見れば、タリバンや中国政府などがどんどん「欧米的理想などもう時代遅れなのだ」という方向に進みつつある。

「先鋭化した理想を高圧的に押し付けた」ぶんだけ「社会の逆側」に徹底してそれを邪魔してやろうとする勢力が生み出されてされてしまうこういう構造自体が、既に持続可能性に問題があるのです。

「俺たち」vs「あいつら」を完全に分離する欧米的なやり方自体が、そういう意味では「完全に失敗している」ことを我々は直視すべき時代なのではないでしょうか？

「国譲り神話」を持つ日本の土壌を活かそう

以前、普段あまり行かない東京の東側を延々歩き回る旅をした時に、神田明神（千代田区外神田）や将門塚（千代田区大手町）などの一帯はオオクニヌシ（大国主）が祀られているゾーンだなあ、と感じることがありました。

個人的に、日本の神話の中で一番「キャラ」として共感するのはスサノオで、あるスサノオ系の有名な神社のお祭りの中の人とも「文通」の仕事で繋がっているほどなのですが、一方で「オオクニヌシ」はいかにも「日本社会の美点」を感じる、非常にユニークな存在だと感じています。

自分自身とは「キャラ」的には遠い気がするけど、紛れもなく日本社会の美点のある部分を象徴する存在として尊敬したい気持ちを強く持っています。

どこがユニークかというと、オオクニヌシは苦労しながら国造りを実際に行った一番の功労者なのですが、「国譲り神話」では出雲に引っ込んでしまう神様でもあるのです。オオクニヌシは相手に「あなたがたの長と同じぐらい立派な宮殿を建ててくれるなら、私は引っ込みましょう」という条件を付けます。つまり、〝被〟征服者が「征服者と同じレベルの宮殿を建ててほしい。そうしたら納得して新しい国に参加するよ」と言っているのです。

世界各国を見回したときに、少なくとも先進国と呼ばれる国のほとんどは一神教（唯一の神を信仰する宗教）であり、こうした「国譲り神話」が基礎となっている国はほとんどありません。征服した側と征服された側が明確に分けられ、完全な支配か完全な滅亡が国の正統性をうたい上げることが一般的です。

しかし日本神話はそうではありません。征服された側は征服した側と同じくらい尊重され、それと同時に征服した側と同じ国造りに参加することを受け入れる（もしくは、受け入れなくてはならない）という構造なのです。

単純なイデオロギーで全てを斬り伏せたい20世紀型の個人主義者にとって、こういった日本社会の特徴は煮え切らなくて憎らしい……となりがちです。

日本社会はこの「国譲りの対等さ」を踏み越えて一方向的に社会を塗り替えてやろうとするような勢力には徹底的に反発する性質があって、そのあたりに「欧米的な理想の流行」をある部分で絶対受け入れない頑迷さ（に見えるもの）を生み出したりもしています。その日本社会の性質に不満を持っている人も多くいるでしょう。

しかし一周回って、国譲り神話的に「**敵を完全に征服せず、一緒に協力し合うことでお互いを受け入れる**」という解決のあり方が必要とされる時代が、世界的にやってきていると私は考えています。

「出雲に引っ込んでいただく態度」が必要

要するに、社会を本当に前に進ませたいのなら、「保守派を打ち倒す」のではなく、「自分と対等な宮殿を用意して出雲に引っ込んでいただく」態度が必要なのだということです。

図14

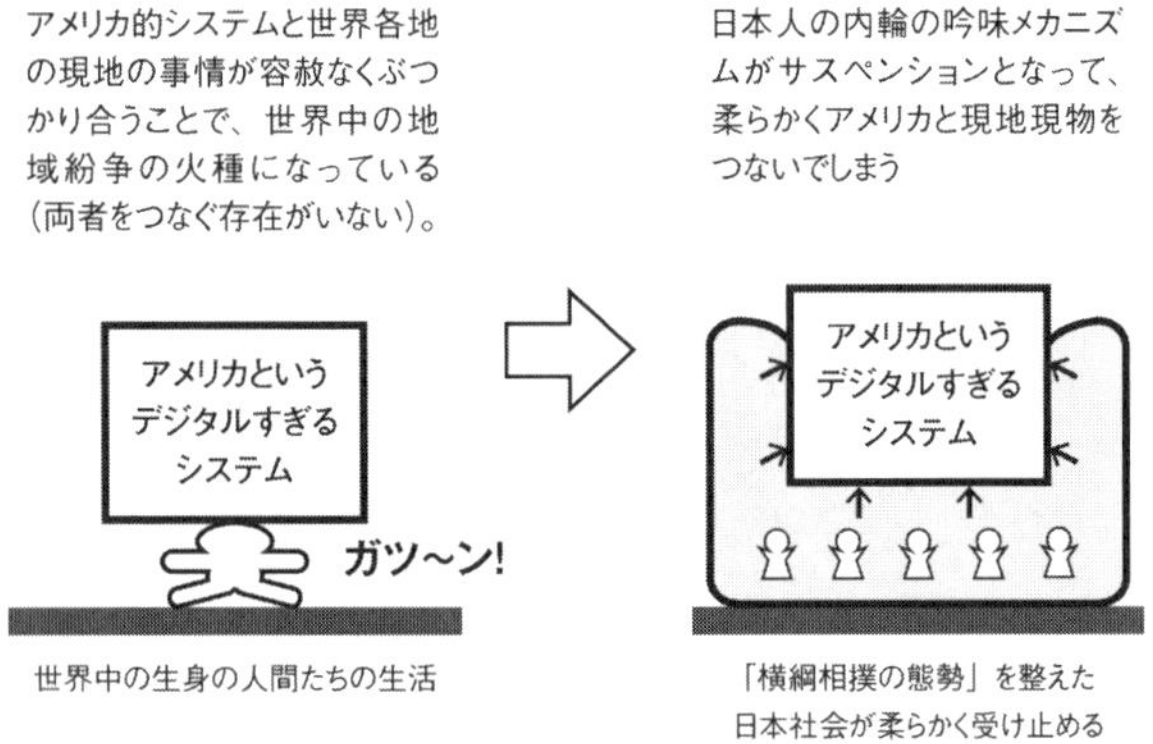
アメリカ的システムと世界各地の現地の事情が容赦なくぶつかり合うことで、世界中の地域紛争の火種になっている（両者をつなぐ存在がいない）。
日本人の内輪の吟味メカニズムがサスペンションとなって、柔らかくアメリカと現地現物をつないでしまう
アメリカというデジタルすぎるシステム
ガツ〜ン!
世界中の生身の人間たちの生活
アメリカというデジタルすぎるシステム
「横綱相撲の態勢」を整えた日本社会が柔らかく受け止める

『日本がアメリカに勝つ方法』（倉本圭造／晶文社）より

これは「日本において」それが大事なだけでなく、これだけ果てしなく分断されていく人類社会においては、この「自分と対等な宮殿を用意して出雲に引っ込んでいただくマナー」がいかに重要であることか。

ローカル社会に「高圧的に自分たちの理想を押し付け」て、それに対する反発が募ってタリバン政権のようなモンスターが支配する社会になってしまえば、その本来の「理想」は圧倒的に後退してしまう。

タリバン政権ほどでなくても、ほかならぬアメリカ国内でだって数千万人のトランプ派が全力で「進歩派」の邪魔をしてやろうと必死になっていたりして、4年ごとの

大統領選挙のたびに大混乱になるのは目に見えている。
「欧米社会の中のさらに恵まれた層だけの内輪の論理だけで先鋭化した理想」と「現地社会の伝統」を対置して、どちらかを原理的に少しでも「上」なものとして押し付けるやり方は、今後の米中冷戦時代には「世界に展開したアメリカ軍の銃口の威圧力」が減衰していく中でどんどん維持不可能になっていきます。

しかしそこでもし、「オオクニヌシには出雲に宮殿を建てて引っ込んでいただく」スタイルがあれば、全く新しい展開が生まれ得るのではないでしょうか。

結果として、右の図14のように、日本という存在は、「アメリカという人類社会に不可欠の存在」の価値と、「その外側の世界」とを柔らかく共存させるためのサスペンションになることができるでしょう。

果てしなく分断されていく人類社会の共有軸になる日本

本書冒頭で書いたオバマ元大統領の「他人に石を投げているだけでは社会は変えられ

ない」というスピーチでも分かるように、果てしなく先鋭化して「全部〝敵のあいつら〟のせいにする」昨今の進歩派の流行に批判的な人は欧米の穏健派知識人の中にも多くいます。

この章でここまで触れたサンデルやホックシールドの本からも、そういう問題意識は切々と伝わってきます。

しかし、「果てしなく非妥協的な改革志向」を「ほんの一歩穏健化する」として、そこで新しい調和的な対話関係を取り戻すことが非常に難しくて、欧米社会の中では「やめたくてもやめられなくなって」いるのが現状です。

かといって「タリバンや中国政府の強権がいいのか？」と言われると、「こっちの極端をやめたらそっちの極端しか選べないんですか？」という話になってしまう。

「完全に両極分化してしまった」社会においては、「ちょっとでも相手の話も聞こうかな」という態度を見せると、徹底的に攻め込まれて「逆側の極端」にまで吹き飛んでいってしまうことになる。

だからこそこれからの日本が、「国譲り神話」的本能を活かし、「２つの極端主義を調和させる〝ちょうど良さ〟を常に選び抜ける国としての道を歩み続ける意味が生まれます。

本書でここまで書いてきたように、「経済」の現場でも、「社会問題」においても、その他あらゆる課題について、アジア文化の用語で言えば「中庸の徳」を身を持って体現する国になっていき、そして「欧米内における穏健派知識人」との連携関係の中でそれを世界に提示していく意味がある。

１６０年以上「欧米社会側の国」として生きてきた歴史と「欧米社会にのしかかられる側の反発心」もちゃんと身を持って分かるバックグラウンド。

その「両方」を持つ日本だからこそできる役割を、人類社会は今切実に必要としています。

もちろん、他人にそれを標榜し始めるには、まず日本国内においてこの「分断」を超える共有軸を打ち立てていかねばなりません。その方法は、第三章までに述べた通りです。「保守派」だからといってあまりにも排外主義的なことを言う人たちや、現実無視すぎる「日本スゴイ」言論などは、だんだん付いていけない人を生むので、ある範囲以上には大きくなり得ません。

一方で「改革派」だからといって、ビジネスエリートにしろ、「政治的正しさ」路線の社会変革運動にしろ、社会が積み上げてきた伝統への敬意がなく、徹底的に「全部他人のせい」的に攻撃しまくるだけでは、自然と味方が減っていくので、どこか小さいグループで呪詛の声を上げ続けるだけになっていくでしょう。

そういう彼らの「自業自得の自滅効果」をそのまま放置しておくことが重要です。

SNSが果てしなくそういう「むき出しのエゴ」を可視化していってくれるので、徐々に図10の「M字分断されたそれぞれの凸」から、「理性的な対話可能な層」と「果てしなく非妥協的になって内輪で喧嘩し続ける層」との分断が進み始めます。

そこまで来たらあとひと押しです。

主流メディアを、「全てがイデオロギー対立に見えるビョーキ」になりがちな世代から、ちゃんと物事をフェアに具体的に見られる世代に主導権を取り戻していきましょう。

「揺るぎない凸」といってもこれは「個人」を抑圧するようなガチガチの硬いものではありません。走り出した自転車が安定するように、全個人が徹底的にエゴを吐き出すこ

図15

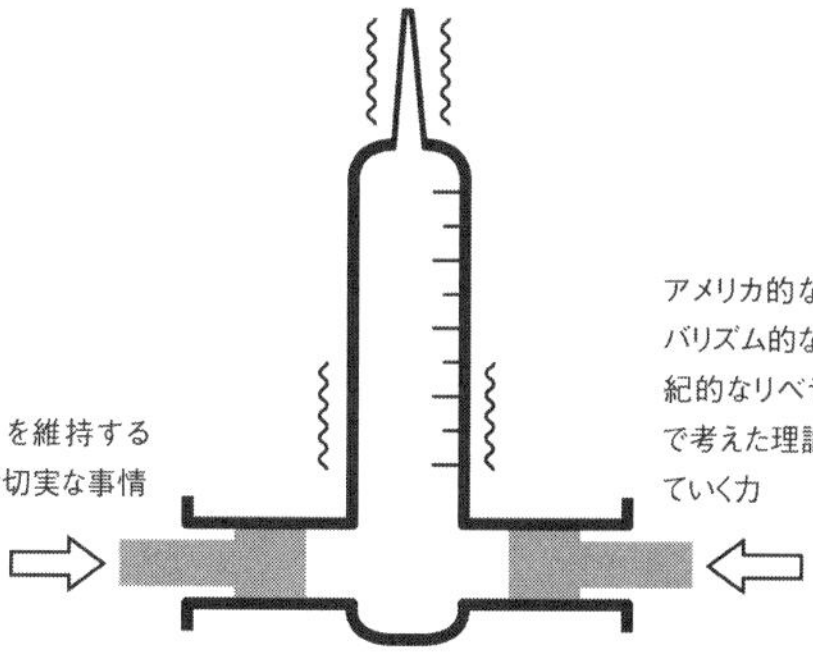
「現場の力」を維持するために必要な切実な事情
アメリカ的なもの、グローバリズム的なもの、20 世紀的なリベラルなど、「頭で考えた理論」を押し出していく力

『日本がアメリカに勝つ方法』（倉本圭造／晶文社）より

とが、常に「神の見えざる手」的な調整を経て「凸型の安定」を生み出す形となるのです。

こういう形勢になってこそ、本当の「個人の自由」を人間社会はどこまでも許容できるようにもなっていくでしょう。アメリカ的に「個の絶対化」だけを押し込んでいったら社会が崩壊してしまう……という構造になっていれば、「抑圧する強権主義者」が人類社会のどこかには「当然必要となってしまう」因果関係があるからです。

世界第3位の経済の内側において「揺るぎない凸字型のカーブ」が成立してくれれば、図15のように、人類社会全体のどん詰まり状態を象徴している注射器の先に「穴を開ける」ことができます。

「M字から凸字へ」の言論カーブが安定すればす

るほど、心を開いた態度で世界中の「アメリカ側の存在」とも「非アメリカ側の存在」とも付き合っていけるし、その関係から生まれる「注射器を両側から押し込む力」を、拒否するのでなく、合気道的にいなしてさらなる推進力に変えることも可能となっていくでしょう。

そうすれば、過去30年間「改革だ！」「抵抗勢力をぶっ壊せ！」と大騒ぎするだけしても何も変わらなかったこの日本が、嘘のように具体的な細部の工夫を積み上げて次々と変わっていける社会になるでしょう。

「オオクニヌシを完全に排除してしまわずに共存を模索していた」という、「過去30年間変われなかった理由」こそがまさに、これからの時代のトップランナーになれる理由そのものとなるのです。

何世代も前から欧米的システムの中で生きてきた歴史と、「欧米社会にのしかかられている側の反発心」を両方理解できる私たちならではの、「分断の共有軸としての日本」というイメージが、あなたの中にも浮かんできましたか？

いまや人類社会はそういう存在なしには3度目の世界戦争すらあり得るかもしれない

緊張期に差しかかりつつあります。

そこで「平和への本当の責任」を我々が果たすことができたら。

いくら少子高齢化的な条件が色々と厳しくても、そういう存在が人類社会から必要とされ、「経済的に必要十分な程度繁栄する」ことができないなどということはあり得ない、とすら言えるでしょう。

そのチャンスをつかみ取り、自分たちの歴史に裏打ちされた、自分たちにしかできない世界への貢献をする心の準備はできていますか？

「自分たちとは逆側の〝あいつら〟がいかに悪なのか」をかっこよく糾弾しまくることが「善」だと思っているやつらに、「本当の正義」ってやつを見せつけてやりましょう！

私たちならできますよ。

この章のまとめ

- 「エコ原理主義」や「画一的な〝政治的正しさ〟の押し付け」など、欧米の先鋭化されすぎた思想は、むしろ大きな反発や断絶を生んでいる。
- 洗練された「水の世界」と、土着的な「油の世界」を国際社会でもエマルションするためには、乳化剤としての日本の役割が大きい。
- そのためにはまず、日本国内の分断を乗り越えることが必須。
- 日本人にしかできない貢献のあり方を意識することで、日本も世界も変えることができるはず。

おわりに

「恐怖心」が押し合いへし合いを生んでいる時代に

私は中学生の頃、「日本のナアナアさ」を真剣に憎悪するような個人主義者で、たとえば日本語の「敬語」という仕組みすら、「下」の人間の意見を圧殺して社会の安定を優先させる諸悪の根源的な制度だとか、大真面目に主張するような人間でした。

しかしその後、高校で「全国大会に毎年出るような体育会系の文化部」の中心人物になって色々と苦労してみると、考えを変えざるを得ない体験をいくつもしました。

そういう「日本のナアナアさ」が、日本的な社会の安定感や真面目さ、そして「そういうナアナアさがなければ出会わない人」同士の関係を取り持ってくれていて、ただそれを敵視して壊そうとするだけでは余計に何も動かせなくなる事に気づかされたのです。

外資系コンサルティング会社の仕事での問題意識をもとに、本書冒頭に書いたような「縦の旅行 by カズオ・イシグロ」を繰り返すようなキャリアを積んで色々と模索してきた意味もまさにそこにありました。そのメッセージが読者のあなたに届けば幸いです。

今でも、「日本社会がどうあるべきか」という議論がなされる時には、この「日本のナアナアさ」が曖昧に繋いでくれているものを「全拒否」にしたい、中学生時代の私のような個人主義的な人物が、徹底的に非妥協的に「日本社会をぶっ壊す！」と荒れ狂っているのをよく見かけます。

そして彼らが言っている「日本社会の改善点」が無意味かというと決してそうではなく、閉塞感が漂う日本社会が未来に向かうべき方向性のヒントが詰まっているのは確かです。

しかし、そういう「個」だけを絶対化する制度を無理やり押し込んでしまうと、日本社会の良さである安定感も雲散霧消してしまう可能性がある、あるいはそういう恐怖心があるから押し合いへし合いになってどこにも進めなくなってしまう。

アメリカのように「完全に片側から押し切って」しまえば、世界最先端のＩＴ企業の発展は呼び込めるかもしれないが、一方でこれもまたアメリカのように、貧困層のスラム街は本当に絶望的な状況に陥っていってしまう可能性がある。

だから「日本社会をぶっ壊す！」を拒否しようとする側の人たちの言い分にも十分「ベタな正義」は存在します。

平成時代の日本は、こういう「ぶっ壊す！」「ぶっ壊させない！」という二つの相反する「ベタな正義」同士が延々と敵側全否定で押し切ろうとして、結局膠着状態になってどこにも進めないうちに徐々に衰退してくる30年間を過ごしてしまいました。

本書をここまでお読みいただいた読者の方にはもうお分かりのように、その「二つの相反するベタな正義」にそれぞれ脊髄反射で飛びついて、延々と繰り返されてきた「議論という名の罵り合い」を続けるのはもうやめるべき時です。

実際、「あらゆる問題が権力vs反権力のイデオロギー対立に見えるビョーキ」の世代が徐々に社会から引退してきて、静かに社会の雰囲気は変わってきています。

過去何十年と繰り返されてきた、「欧米の事例を全く無批判に持ってきて日本はダメだと一方的に騒ぐ」vs「日本社会の惰性だけを理由にあらゆる変化を拒否する」という「ベタな正義同士の無意味な罵り合い」を、本書の読者のあなたのように「メタ正義感覚」に目覚めた人間たちでキッチリと置き換えていきましょう。

そうやって、日本に山積するあらゆる分野の問題を「メタ正義」的に解決していける空気を醸成していくことができれば、第四章で触れたように、そういう「日本社会の試み」こそが、果てしなく分断されていく米中冷戦時代の人類社会にとって貴重な「共有軸」になり得ます。

放っておくと完全に水と油が分離していってしまう人類社会の「乳化剤」となって、美味しいマヨネーズを作っていくことこそが、「先進国」と呼ばれるグループで唯一の多神教バックグラウンドを持つ私たち日本人が担うべき使命なのです。

本書自体が「交わらない二つの世界」が新しい価値を生んだ実例に

本書を作る作業もまた、ある意味で「メタ正義的な対話」の連続でした。

編集長氏は雑誌「ＳＰＡ！」の立ち上げメンバーだった方らしく、編集者氏も雑誌出身、しかもお二人とも女性ということで、普段「政治談義好きのウェブメディアの男性編集者」とツーカーにやっているのとは全然違う雰囲気で戸惑うところも多かったです。

「雑誌」文化的には、今の日本の「普通の読者」の方にパッと伝わる言葉遣いや見出し、論理展開の順番というものがあり、しかし私から見るとそれが大変窮屈に感じられ、「結果が見えているよくある話」に押し込められそうになって抵抗する。

険悪になったわけではないですが正直相当に神経を使って、お互い譲れない部分を真剣に押し返し合いながら、少しでも良いものになるよう努力することができました。

結果として、「よくある話」に小さくまとめられてしまうことにもかなり抵抗して、自分が20年以上社会の色々な「現場」的課題に向き合う中で見出してきた内容を込めることができたと思いますし、一方でタイトル・サブタイトル・オビ文やその他本文の構成に関しての「雑誌的な分かりやすさ」の面で、私一人では到底考えつかない「プロの技」を見せてもらったと思っています。そうやって、「今まで交わらずにいた二つの世界」が出会って生まれた新しい価値が、読者のあなたにも伝われば幸いです。

とはいえ、ワニブックス【ＰＬＵＳ】新書の編集長氏がおっしゃるように、新書という形式では「月刊誌記事の延長程度のこと」しか書ききれないのも確かです。

本書を入り口として、もう少し深い議論に興味が出た方は『みんなで豊かになる社会はどうすれば実現するのか？（アマゾン・キンドルパブリッシング）』や、私が毎月最低3回以上更新しているｎｏｔｅというサービスの記事や、各種ウェブメディアでの記事をお読みください。それらの更新情報はツイッター@keizokuramotoをフォローいただければと思います。「文通」の仕事で繋がってくれる方もまだ一応募集中です。

「本当の正義」を見せつけてやろうぜ！

２０２１年の年末にかけて、本書を作る仕事が忙しく、ネットで何かを公開する仕事をほとんどする時間がありませんでした。そして、そういうことをすると普通はツイッターのフォロワーさんの数が少しずつ減っていくのが通例なのですが、なぜか最近は何もしていない時期にもフォロワーさんが増えていったりする現象が起きています。

それは、日本の「今」を生きる色んな人たちがそれぞれの人生の中でふと思った疑問についてインターネットを徘徊していると、ふと私の記事なり何なりに出会うようなことが増えているということなのだと思います。セレンディピティですね！

お互い全然知らない全然違う人生を生きている他人だけど、同じ「日本の今」を共有する仲間としてのぼんやりとした連帯が生まれつつある感じがする。

そこはすごく嬉しく思っています。

変に「仲間仲間！」的に人工的なムーブメントにはしないで、でもこのぼんやりとした連帯は育てていって、「社会の逆側にいるあいつらが全部悪い」的な単純化したスローガンが吹き荒れるこの人類社会の風潮を、日本に生きる我々の本来的な美点を基礎として押し返していってやりましょう。

本書全体の末尾として、第四章の最後で使ったばかりの決め台詞なんですが、これ以上に言いたいこともないほど大事なことなのでもう1回繰り返して言います。

誰かをかっこよく糾弾してみせることが「正義」の行いだと思っているやつらに、「本当の正義」ってのがどういうものか見せつけてやろうぜ！

倉本圭造

日本人のための議論と対話の教科書

「ベタ正義感」より「メタ正義感」で立ち向かえ

２０２２年３月５日　初版発行

著者　倉本圭造

倉本圭造（くらもと・けいぞう）
１９７８年神戸市生まれ。兵庫県立神戸高校、京都大学経済学部卒業後、マッキンゼー入社。国内大企業や日本政府、国際的外資企業等のプロジェクトにおいて「新しい経済思想」の必要性を痛感。その探求のため、いわゆる「ブラック企業」や肉体労働現場、カルト宗教団体やホストクラブにまで潜入して働く、社会の「上から下まで全部見る」フィールドワークののち、船井総研を経て独立。エコ系技術新事業創成、ニートの社会再参加、元会社員の独立自営初年黒字事業化など、幅広く「個人の奥底からの変革」を支援。著書に『21世紀の薩長同盟を結べ』（星海社新書）、『日本がアメリカに勝つ方法』（晶文社）、『みんなで豊かになる社会』はどうすれば実現するのか？』（amazon Kindleダイレクト・パブリッシング）など。

発行者　佐藤俊彦
発行所　株式会社ワニ・プラス
〒１５０-８４８２
東京都渋谷区恵比寿４-４-９　えびす大黒ビル７Ｆ
電話　０３-５４４９-２１７１（編集）
発売元　株式会社ワニブックス
〒１５０-８４８２
東京都渋谷区恵比寿４-４-９　えびす大黒ビル
電話　０３-５４４９-２７１１（代表）
装丁　橘田浩志（アティック）
柏原宗績
イラストレーション　山本玲子
企画・編集　梶原麻衣子
ＤＴＰ　株式会社ビュロー平林
印刷・製本所　大日本印刷株式会社

ISBN 978-4-8470-6191-2
ワニブックスＨＰ　https://www.wani.co.jp